Bilbao-New York-Bilbao

Novela

Kirmen Uribe
Bilbao-New York-Bilbao

Traducción del euskera por Ana Arregi

Seix Barral

Título original: *Bilbao-New York-Bilbao*

© Kirmen Uribe, 2008
© por la traducción, Ana Arregi, 2009
© por el encarte, Aurelio Arteta Errasti, Barcelona, VEGAP 2009
  Archivo Fotográfico del Museo de Bellas Artes de Bilbao
© Editorial Planeta, S. A., 2009, 2020
  Seix Barral, un sello editorial de Editorial Planeta, S. A.
  Avinguda Diagonal, 662, 7.ª planta. 08034 Barcelona (España)
  www.seix-barral.es
  www.planetadelibros.com

Fotografía del autor: © Txomin Sáez
Ilustración de la cubierta: © Michel Beau / Fotolia.com
Primera edición en Colección Booket: febrero de 2011
Segunda impresión: enero de 2012
Tercera impresión: junio de 2013
Cuarta impresión: julio de 2015
Quinta impresión: septiembre de 2017
Sexta impresión: noviembre de 2020

Depósito legal: B. 991-2012
ISBN: 978-84-322-5092-7
Impresión y encuadernación: QP Print
Printed in Spain - Impreso en España

Biografía

Kirmen Uribe nació en Ondarroa, en 1970. Cursó Filología Vasca en Vitoria-Gasteiz (UPV-EHU) y estudios de posgrado en Literatura Comparada en Trento (Italia). En 2008 publicó su novela *Bilbao-New York-Bilbao* (2010), que obtuvo el Premio Nacional de Narrativa, el Premio Nacional de la Crítica en euskera, el Premio de la Fundación Ramón Rubial y el Premio del Gremio de Libreros de Euskadi. Traducida a quince idiomas, fue elegida en el Reino Unido como uno de los quince mejores libros del año por la cadena de librerías Foyles. Su segunda novela, *Mussche* (2012; *Lo que mueve el mundo*, 2013), ha recibido el Premio Rosalía de Castro del PEN Club gallego y ha sido la primera novela escrita en euskera en ser publicada en China. En 2016 publicó *La hora de despertarnos juntos*. Ha traducido a Raymond Carver, Sylvia Plath, Anne Sexton, Mahmud Darwish y Wislawa Szymborska, entre otros, y sus textos han aparecido en *The New Yorker*, *El País* o *Berria*. Colaborador habitual en varios medios de comunicación, en 2011 recibió el Premio de Periodismo de *El Correo*.

www.kirmenuribe.com

A mi familia

Di tus cosas más íntimas, dilas, es lo único que importa.

No te avergüences, las públicas están en el periódico.

Elías Canetti

Desde entonces me pregunto siempre cuáles son las invisibles relaciones que determinan nuestra vida, y qué hilos las unen.

W. G. Sebald

Pero tan pronto lo han hecho, tan pronto las grúas comienzan sus descensos y sus balanceos, parece que cuanto de romántico había en los buques desaparezca.

Virginia Woolf

1

BILBAO

Los peces y los árboles se parecen.

Se parecen en los anillos. Si hiciéramos un corte horizontal a un árbol veríamos sus anillos en el tronco. Un anillo por cada año transcurrido, es así como se sabe la edad del árbol. Los peces también tienen anillos pero en las escamas. Y al igual que sucede con los árboles, gracias a ellos sabemos cuántos años tiene el animal.

Los peces nunca dejan de crecer. Nosotros no, nosotros menguamos a partir de la madurez. Nuestro crecimiento se detiene, y los huesos comienzan a juntarse. El cuerpo se encoge. Los peces, sin embargo, crecen hasta que se mueren. Más rápido cuando son jóvenes y, a partir de cierta edad, más lentamente, pero sin dejar nunca de crecer. Y por eso tienen anillos en las escamas.

El anillo de los peces lo crea el invierno. El invierno es el tiempo durante el cual el pez come menos, y el hambre deja una marca oscura en sus escamas porque su crecimiento es menor durante esta época. Al contrario que en verano. Cuando los peces no pasan hambre, no queda ningún rastro en sus escamas.

El anillo de los peces es microscópico, no se ve a primera vista, pero ahí está. Como si fuera una herida. Una herida que no ha cerrado bien.

Y como los anillos de los peces, los momentos más difíciles van marcando nuestras vidas, hasta convertirse en medida de nuestro tiempo. Los días felices, al contrario, pasan deprisa, demasiado deprisa, y enseguida se desvanecen.

Lo que para los peces es el invierno, para las personas es la pérdida. Las pérdidas delimitan nuestro tiempo; el final de una relación, la muerte de un ser querido.

Cada pérdida es un anillo oscuro en nuestro interior.

El día que le dijeron que le quedaban pocos meses de vida, mi abuelo no quiso volver a casa. Fue mi madre, su joven nuera, quien lo acompañó a la consulta aquel día. El abuelo escuchó con serenidad lo que contaba el médico. Lo escuchó todo sin decir palabra. A continuación, le dio la mano y se despidió educadamente.

Al salir de la consulta, mi madre no sabía qué decir. Después de un largo silencio, le preguntó al abuelo si se dirigían a la estación. Él respondió que no.

«No vamos a volver todavía. Pasaremos el día en Bilbao. Quiero enseñarte una cosa», le dijo, e intentó sonreír.

El abuelo llevó a mi madre al Museo de Bellas Artes de Bilbao. Mi madre nunca olvidaría aquel día; cómo la misma tarde que le anunciaron que se iba a morir, el abuelo la llevó a un museo. Cómo trató, en vano, de que la belleza se mantuviera por encima de la muerte. Cómo se esforzó para que mi madre guardara otro recuerdo de aquel día tan desgraciado. Mi madre siempre recordaría aquel gesto del abuelo.

Era la primera vez que entraba en un museo.

Cuarenta y cinco años más tarde, era yo el que entraba al museo. Necesitaba información sobre un cuadro. Seguía el rastro de una obra del pintor Aurelio Arteta como quien se fía de una pista medio borrada, de un modo absolutamente intuitivo. Pero una voz interior me revelaba que ese cuadro era importante, que sería una pieza fundamental en la novela que estaba escribiendo.

El cuadro era en realidad un mural, en su origen pintado en el chalet de Ondarroa donde veraneaba el arquitecto Ricardo Bastida. Arteta lo pintó en el salón de la casa durante el verano de 1922. En la década de los sesenta, sin embargo, a los pocos años de morir Bastida, la familia vendió el chalet que posteriormente se derribó para construir pisos. Pero afortunadamente el mural se salvó. La obra de Arteta fue extraída de la pared y llevada al museo de Bilbao. Desde entonces se puede contemplar en una de las salas del primer piso.

José Julián Bakedano, uno de los responsables del museo, me enseñó el mural. En su momento ocupaba tres de las paredes del salón del chalet de Bastida. La cuarta era la galería barco, desde donde se veía el mar. En el museo, sin embargo, lo habían colocado como si fuera un tríptico. En el centro, se escenifica una romería de pueblo, y en los laterales figuran los otros dos fragmentos. En uno de ellos se muestra a una mujer de la época que parece una Venus del Renacimiento. En el otro, a una pareja joven hablando bajo un árbol.

A primera vista llaman la atención los colores del mural. Arteta utiliza unos colores muy vivos para retratar a los mozos que van en romería: verdes, azules, morados. Nunca antes se habían utilizado de este modo.

«Al principio, algunos críticos no vieron con buenos ojos la obra de Arteta. Decían, burlándose, que utilizaba gafas de colores para pintar», me comentó Bakedano. «A Arteta se le notaban los años que había estado estudiando en París. Vivió en Montmartre y allí se enamoró de los trabajos de Toulouse-Lautrec y de Cézanne. Pero no quiso nunca romper completamente con la tradición. Por eso, sus cuadros me recuerdan a las viejas tabernas pintadas con colores muy vivos, son modernos pero no han perdido el encanto.»

En el mural se representan dos mundos, y los dos están unidos. Por una parte se halla el mundo rural, y por la otra el mundo urbano. Las mozas del caserío visten de una manera tradicional. La falda les llega hasta el tobillo, llevan pañuelo en la cabeza y sus vestidos no lucen escote. Por el contrario, las chicas de ciudad tienen otro aire. Sus vestidos son ligeros, la brisa los mueve. Las faldas, más cortas, dejan las rodillas al descubierto y los escotes asoman también muy amplios. Además, llevan collares. Al lado de las aldeanas, las mujeres de la ciudad resultan más atractivas, como si trataran de cortejar al espectador. En la pintura es muy clara la influencia del Art Decó; irradia el optimismo de los años veinte.

«Este cuadro muestra el paso del mundo antiguo al nuevo, y el contraste entre las mozas del caserío y las de ciudad hace más patente el erotismo de las segundas», explicó Bakedano.

En realidad, el mural de la casa de Bastida no era sino un ensayo. Aurelio Arteta no dominaba por completo la técnica del mural y el arquitecto le dejó las paredes del salón de su casa para que hiciera pruebas. El verdadero reto llegaría un año más tarde. Ricardo Bastida había diseñado la futura sede del Banco de Bilbao en Madrid. El edificio de la calle Alcalá se convertiría en su obra más importante hasta el momento. La nueva sede debía ser símbolo, no sólo del banco, sino también de la ciudad de Bilbao. Emblema de fortaleza y modernidad. Aquel trabajo consolidaría las carreras de Bastida y de Arteta, y los haría conocidos fuera del País Vasco.

Bastida quería que Aurelio Arteta pintara los murales del hall del banco. Se conocían desde pequeños y las vidas de ambos habían discurrido paralelas. Para la sala circular de entrada al banco, Arteta se proponía pintar una alegoría de Bilbao. Aparecerían los estibadores del puerto, los trabajadores de los altos hornos, la gente del campo, las vendedoras de pescado, etcétera. La labor era inmensa, más de diez murales, y además sobre una superficie irregular.

Arteta aceptó el encargo pero antes debía adiestrarse. Era muy exigente consigo mismo, le costaba mucho dar un trabajo por finalizado. En una ocasión, al cabo de unos años, en su exilio mexicano, un comprador intentó mirar un cuadro que se hallaba tapado por una tela y que aún no estaba terminado. Cuando Arteta se dio cuenta, encolerizado, hirió en la cara al curioso con una espátula. Era la única cosa que le sacaba de quicio.

Perfeccionista hasta extremos insospechados, Arteta cuidaba cada detalle. Sin embargo, a la hora de firmar las obras el pintor no ponía gran cuidado y muchas veces se quedaban sin firmar, como si eso no le importara. En cuestiones de dinero también era muy despreocupado. Pero cuando pintaba lo hacía en cuerpo y alma. Y para hacer el mural de Ondarroa incluso se hizo traer el agua de Madrid, para que la densidad fuera la misma que la de las pinturas que más tarde realizaría. Eligió los mejores materiales. La arena tenía que ser polvo fino del mármol de Markina.

Yo había oído hablar mucho sobre Arteta, y de su forma de ser. En vida fue un pintor muy querido. Estaba bien considerado tanto por los conservadores como por los nacionalistas y los socialistas. «Quizás su timidez tenía algo que ver con todo esto», me aclaró Bakedano.

Me habían contado cómo escapó a México durante la guerra. Tras el bombardeo de Gernika, el gobierno legítimo le encargó que pintara un cuadro emblemático. Se trataba de mostrar al mundo lo que había ocurrido allí, la masacre que habían cometido los nazis. Iba a ser la oportunidad de su vida. Aun así, Arteta declinó el encargo. Arguyó que estaba cansado de la guerra, que lo que él quería era exiliarse y reunirse con su familia en México. Al final, el encargo recayó en Pablo Picasso. Lo que vino después es de todos conocido. Pintar el cuadro sobre Gernika hubiera sido un salto definitivo en la carrera de Arteta, pero no lo aceptó. Por delante del arte, eligió su vida. Prefirió reunirse con su familia a ser recordado en la posteridad.

A muchos les parecerá que la elección de Arteta fue un error. Cómo pudo perder la oportunidad de su vida, y todo por una decisión absolutamente circunstancial. Cómo pudo anteponer el amor por su familia a la creación artística. Es más, habrá quienes no le perdonen eso jamás, y piensen que el creador se debe a su obra antes que nada.

En más de una ocasión me he preguntado qué habría hecho yo en la situación de Arteta, cuál habría sido mi elección. No sabría decirlo, para ello hay que haber vivido ese mismo momento. Y, sin embargo, esas son las encru-

AURELIO ARTETA ERRASTI

En la romería 1

c. 1917-1918

cijadas a las que se enfrenta el artista. La vida personal o la creación. Arteta eligió la primera opción; Picasso, en cambio, la segunda.

José Julián Bakedano debía volver a su despacho, pero antes me facilitó la documentación que el museo disponía sobre el mural de Arteta, donde se recogía el modo en el que los técnicos extrajeron el mural de la casa de Bastida.

Además me dio un consejo. «La persona que más sabe sobre el mural es Carmen Bastida, hija del arquitecto. Lo mejor sería que te pusieras en contacto con ella.» Me dio un post-it con su número de teléfono. «Dile que llamas de mi parte», añadió, antes de volver a su despacho.

Yo todavía me quedé un rato mirando el mural. Me atraía especialmente el optimismo que irradiaba la escena, la energía que transmitían los trazos de Arteta. En aquel verano de 1922, Arteta y Bastida habían depositado grandes esperanzas en sus trabajos. No temían al futuro. Esa fuerza me fascinaba. No se imaginaban lo que sucedería poco después.

No sé mucho sobre mi abuelo, Liborio Uribe. Para cuando yo nací, él ya había muerto y mi padre no nos contaba gran cosa de él. A mi padre no le gustaba hablar del pasado. Como buen marino, prefería mirar al futuro. De la familia de mi madre, sin embargo, conocemos miles de historias. Pero de la de mi padre, muy pocas. Quizás por eso mi abuelo paterno suscitaba en mí esa curiosidad.

Entre las pocas cosas que contaba mi padre, había un recuerdo de su infancia y de los días de verano. Le había oído contar que de pequeño se pasaba todo el día en la playa, en las casetas que el abuelo tenía para los veraneantes. Ayudaba a sus padres en todo tipo de tareas; llevaba agua en palanganas a los bañistas, les ayudaba a limpiarse, a quitarse la arena de los pies, y tendía sus bañadores para que se secaran. Me lo imagino haciendo su trabajo muy callado, llevando el agua y recogiendo las ropas, y mientras tanto escuchando muy atento las cosas que decían los veraneantes.

«Me acuerdo perfectamente de tu padre, era muy guapo y muy trabajador», me dijo Carmen Bastida cuando la visité en su casa de Bilbao. «Aquéllos fueron los mejores años de mi vida. Para mí la vida era muy fácil, entonces yo no tenía ninguna preocupación.»

La familia Bastida tenía tres casetas en la playa. Estaban colocadas en la parte alta del arenal, junto a las rocas. Al lado se hallaba la parcela de los que hacían nudismo terapéutico, ocultos tras una tela larga y oscura. Unas fotografías en blanco y negro recogen aquellos días de playa. Carmen nos enseñaba cada foto y trataba de explicarnos quién era cada una de las personas que aparecían en ellas. Como decía la hija del arquitecto, en las casetas de los Bastida se juntaban pintores, músicos, arquitectos y hasta astrónomos. La mayoría venían de Bilbao y Madrid. «Yo al que más quería, sin embargo, era a un hombre del pueblo, Liborio. Era el que nos contaba historias.»

Mi abuelo tenía otros negocios además del de las casetas de la playa. También tenía una pequeña embarcación para salir a pescar. Se llamaba *Dos amigos*. Siempre me ha llamado la atención ese nombre: «Dos amigos.» ¿Por qué le pondría el abuelo ese nombre? ¿De dónde lo habría sacado? Y, si el abuelo era uno de esos amigos, ¿quién sería el otro?

Quería encontrar a ese otro, saber por qué se había borrado su rastro. Quizás el abuelo se había enfadado con aquel amigo. Hacía unos años había tratado de encontrar pistas que respondieran a esas preguntas. Sentía que tras ese *Dos amigos* había una novela, una novela sobre ese mundo del mar a punto de desaparecer. Pero ése no fue más que el proyecto inicial. El trabajo de recopilación de datos para la novela me ha llevado por otros derroteros y, de paso, me he encontrado con muchas sorpresas.

Para saber la edad de los peces hay que contar los anillos de sus escamas, y añadir siempre un año más. Porque los peces no tienen escamas cuando son sólo larvas. En el caso de las anguilas hay que sumar cuatro años más. Porque las anguilas son larvas durante cuatro años.

El tiempo que las pequeñas angulas necesitan para cruzar el Atlántico. Los cuatro años que dura su odisea desde el mar de los Sargazos hasta el Golfo de Vizcaya.

Al avión en el que viajo le bastan siete horas para cubrir la misma distancia. Hoy vuelo a Nueva York desde el aeropuerto de Bilbao.

2

UN CAFÉ EN EL AEROPUERTO

He llegado desde Ondarroa al aeropuerto antes de lo que pensaba.

El cielo está completamente azul en Bilbao. El viento sur ha templado bastante la temperatura, teniendo en cuenta que estamos en noviembre. El otoño es la época del viento sur en esta tierra. Este otoño del 2008 he cumplido treinta y ocho años, el mismo otoño en el que Obama acaba de ganar a McCain en su carrera hacia la presidencia.

Vuelo a Nueva York vía Frankfurt.

Cuando me he acercado al mostrador de Lufthansa para facturar mi equipaje me he dado cuenta de que alrededor había bastante bullicio. Eran los jugadores del Athletic de Bilbao a punto de embarcar en el avión, rodeados por cámaras y periodistas. Los jugadores respondían con optimismo a las preguntas que les estaban haciendo. Pero era un optimismo que parecía fingido, un optimismo en el que no creían.

El optimismo también puede hacer daño.

Tan pronto como he facturado la maleta he huido hacia la cafetería. La luz del mediodía inundaba el lugar. Los rayos de sol entraban a través de los altos ventanales. Al trasluz se apreciaban minúsculas partículas flotando en un haz dorado. Las servilletas de papel cubrían el suelo de la cafetería y en las mesas se amontonaban tazas y vasos de anteriores clientes.

«Lo que es ser famoso», ha comentado en alto un joven que aguardaba su turno en la barra junto a mí. «A los futbolistas los despiden cada semana entre flashes y cámaras y a mi padre, que se va seis meses a Chile a pescar, seguro que no lo sacan ni en un periódico. Seis meses pasa seguidos en alta mar, y dos en casa.»

Un marino que sale a faenar sin barco y en avión, he pensado. Los muelles de antaño se han convertido en aeropuertos hoy en día.

«Mi padre también era marino», le he contado yo. «Trabajó en el Mar del Norte, en la zona de Rockall.»

Al joven se le ha iluminado la cara.

«Entonces quizás mi padre lo conozca...», me ha respondido antes de coger sus vasos y dirigirse hacia su mesa.

Esto es lo que dice Wikipedia en su entrada sobre la isla de Rockall:

Rockall

Pequeña isla rocosa del Océano Atlántico Norte. La roca es una parte de un volcán desaparecido y sus coordenadas son 57° 35' 48" N, 13° 41' 19" W. Se halla a 301,4 kilómetros al oeste de la isla deshabitada de

St. Kilda de Escocia y dista 368,7 kilómetros del pequeño pueblo de Hogha Gearraidh en la isla de North Uist.
424 kilómetros al noroeste está Donegal en la República de Irlanda. La roca tiene 25 metros de diámetro y
alcanza una altura de 22 metros sobre el nivel del mar.
Los únicos habitantes permanentes de la roca son los
caracolillos de mar y otros moluscos. La roca es utiliza-
da en verano por aves marítimas como las gaviotas, los
araos y los alcatraces para descansar.

Es imposible vivir allí. No hay fuentes de agua natural.

«Es imposible vivir aquí», debió de pensar mi bisabuela, María Gabina Badiola, sobre su pueblo, Ondarroa. Al
menos, así me lo contó una vez Maritxu, la tía de mi padre en Bilbao.

Maritxu es la hermana más joven de mi abuela Ana.
Cuando, en la primavera del 2005, retomé por enésima
vez el proyecto de la novela, fue a ella a quien hice la primera entrevista. Maritxu es, de la generación de Liborio
y Ana, el único miembro de la familia que aún vive. Los
abuelos ya murieron, lo mismo los paternos que los ma-
ternos.

Fui a visitarla y pude escuchar historias que no había
oído antes, historias que mi padre nunca nos había contado. No recuerdo muy bien los nombres ni las fechas,
pero me di cuenta de que la historia de la familia de mi
padre es de idas y vueltas, de huidas y retornos. Y detrás
siempre esa vinculación con el mar, la mayoría de las veces trágica y también, necesariamente, cómica.

Maritxu vive en Bilbao, en el barrio de Begoña. Su
madre, cuando enviudó, cogió a sus hijos y se marchó a

la ciudad con ellos. No quería más marineros. El mar le devolvió muerto a su marido, y a su padre y a su hermano también se los tragaron las aguas. Desde la atalaya del pueblo pudo ver cómo se hundía en la mismísima bahía el velero *San Marcos*, y cómo se ahogaba su padre, Canuto Badiola, y su hermano, Ignacio. El cuerpo de Canuto no lo encontraron nunca.

Estaban tan cerca y no podían hacer nada. Arteta pintaría una escena parecida algunos años más tarde, en el cuadro titulado *La galerna*.

Se fueron a Bilbao y le dieron la espalda al mar. La madre y todos los hijos empezaron a trabajar en la fundición Echevarría, «haciendo clavos y herraduras, miles de clavos y de herraduras».

Maritxu me contó historias que yo no sabía. Por ejemplo, la de los dos hermanos de Mutriku que emigraron a Argentina. Uno de los hermanos quedó ciego a consecuencia de un accidente y quiso volver a su tierra. El hermano lo acompañó en el viaje de vuelta. Embarcaron en Buenos Aires, cruzaron el Atlántico y finalmente tomaron un tren para volver a casa. Así llegaron hasta Deba, a la estación que se encuentra a tan sólo cuatro kilómetros de su pueblo natal, Mutriku. Entonces el hermano sano se despidió allí mismo de su hermano ciego y emprendió el camino de regreso a Argentina. Después de un largo viaje de miles de kilómetros, se subió seguido al tren para cruzar de nuevo el océano. Estaba a cuatro kilómetros de su pueblo y no quiso ver a los suyos. Dejó a su hermano allí, ciego y solo. Al final unas monjas se hicieron cargo de él y lo condujeron a su casa.

Maritxu hablaba un euskera de pueblo, y lo hablaba igual que hace ochenta años. A ratos se pasaba al castellano, como consecuencia de los años vividos en Bilbao.

También me contó que la hermana de esos dos hermanos, Josefa Ramona Epelde, se casó con Isidro Odriozola, el carpintero. Debió de ser un hombre muy elegante el carpintero, de esos que van vestidos de punta en blanco. Él era un guipuzcoano de Azpeitia que había ido a trabajar a los astilleros de Ondarroa. Sin embargo, la mujer la buscó en Mutriku. No quería casarse con una vizcaína y por eso cruzó el límite entre las dos provincias, para casarse en Mutriku, el primer pueblo de Guipúzcoa.

Cuando se les casó el hijo, de nombre José Francisco, Isidro les regaló a los novios todos los muebles de la casa. Los había hecho con sus propias manos, utilizando restos de barcos. A José Francisco Odriozola le llamaban Tubal en el pueblo. Y él sería el padre de la abuela Ana y de Maritxu. Le apodaban Tubal porque tenía un barco con el mismo nombre. Maritxu decía que el bisabuelo le puso al barco *Tubal* porque le gustaba mucho un libro con ese título. Y que lo leía cada noche.

Tubal, según la Biblia, era el nieto de Noé y le tocó en suerte estar en la torre de Babel. Esteban Garibai, en *Los cuarenta libros del compendio historial de las chronicas y universal historia de todos los reynos de España* explica que el euskera era uno de los setenta y dos idiomas surgidos en la torre de Babel y narra cómo Tubal empezó a hablar precisamente ese idioma.

El euskera. Tubal llegó a la península Ibérica y ahí se quedó a vivir. Esto ocurrió ciento cuarenta y dos años después del gran diluvio, en el año 2163 a.C., siempre de acuerdo a lo que se dice en el libro de Garibai.

Tubal Odriozola era un hombre emprendedor. Hizo tratos con un hombre de negocios llamado Otxagabia para construir un barco. Era un trato de los de antes, de palabra, sin papeles. Otxagabia pondría el dinero y Tubal el trabajo. El barco sería de los dos pero mientras uno se quedaba en tierra el otro trabajaría en el mar, de patrón de barco. De esta manera pagaría la deuda.

Tubal prosperó y dio también sus pasos en política. Lo nombraron presidente de la cofradía de San Pedro. Hizo amistades en Bilbao. Fue entonces cuando conoció al dueño de la fundición Echevarría.

Aquéllos fueron los años más felices para Maritxu. En casa no faltaba de nada. Los últimos años de Tubal, en cambio, fueron duros. Otxagabia no cumplió su palabra y Tubal se quedó sin barco. Acudió cientos de veces al juzgado de Burgos a que le dieran la razón. En vano. Sus últimos años tuvo que trabajar de marinero. Aquejado de una infección en la boca, lo trajeron muerto del mar.

Maritxu recuerda la última vez que vio a su padre. Él se fijó en su hija desde lejos y le hizo un gesto con las manos: puso una encima de la otra y se la acarició. Maritxu me hizo a mí el mismo gesto, y con la palma de una mano acarició con suavidad el dorso de la otra. «Esto quiere decir *maite-maite*», me explicó mi tía con sus palabras de hace ochenta años.

Yo no conocía aquel gesto, debía de haberse perdido hacía tiempo.

Maritxu no me contó gran cosa de la abuela Ana. Dijo que era muy trabajadora y que eso la mató, que su cuerpo enfermó de puro cansancio. «Tenía que haberse quedado en Bilbao sin volver al pueblo.» Pero se enamoró de un marinero de nombre Liborio y volvió a Ondarroa para casarse, dejando a su madre y a sus hermanos en Bilbao.

«Tu pobre abuela sufrió mucho. Durante la guerra tuvo que estar un año ella sola, sin su marido. Acogió en su casa a un oficial partidario de Franco, Javier, pero también a una mujer cuya madre estaba presa en la cárcel de mujeres de Saturrarán.»

Yo fruncí el ceño.

«Sí, ya sé que suena raro que en tiempos de guerra tuviera a gente de los dos bandos en casa. Pero una cosa son las ideas y otra el corazón.»

Una cosa son las ideas y otra el corazón. He recordado las palabras de Maritxu cuando han anunciado mi vuelo. He pasado junto a la mesa donde estaban el pescador que iba a Chile y su familia. No me han saludado. En el control de seguridad he puesto en la bandeja el ordenador, la cazadora y el cinturón. He pasado bajo el arco detector de metales. No ha pitado.

He recogido mis cosas y he mirado hacia atrás. La gente en fila a la espera del control de seguridad. No he visto a ningún conocido. Me ha venido a la mente el gesto de manos de Maritxu. El gesto que le hizo su padre la última vez. Aquél era un gesto de ellos dos, su secreto. El último.

Y he querido hacerle ese gesto a alguien desde lejos; poner una mano sobre la otra, acariciarla y decir, en silencio, «maite-maite», te quiero, te quiero.

3

TESOROS OCULTOS

En marzo del 2003 llegué por primera vez a Nueva York, en los días en que acababa el ultimátum que el presidente Bush dio a los iraquíes. La escritora Elizabeth Macklin me invitó, junto con algunos amigos músicos, a recitar en varios locales de Manhattan. Después de una de esas actuaciones, en el Bowery Poetry Club, la escritora neoyorquina Phillis Levin me regaló la definición más bella de un idioma que he escuchado en mi vida.

Ella ya conocía el euskera de antes y había ojeado con curiosidad algunos textos en internet. Más de una vez había intentado deducir el significado de aquellas extrañas palabras. Ni por asomo. Pero una cosa le llamaba la atención: la cantidad de *x* que aparecían en el texto.

«Vuestra lengua parece el mapa del tesoro», me descubrió. «Si desenfocas el resto de letras y percibes sólo las x, parece como si te guiaran por la ruta del tesoro.»

Me pareció que aquello era lo más bonito que se podía decir de un idioma que no conoces, que se asemejaba a un mapa del tesoro.

Darío de Regoyos, el pintor impresionista, pasó su vida entera buscando un tesoro escondido. En eso consistía la revolución impresionista: en pintar de una manera novedosa y diferente a como enseñaba la Academia. Hasta entonces se aprendía a pintar un caballo, pero sin mirar a los caballos de verdad. Bastaba con reproducir los moldes. Aprender los trucos. Entonces, los impresionistas decidieron abandonar la Academia y salir a la calle. A pintar lo que de verdad veían con sus ojos. Ellos fueron los primeros que vinieron al litoral Cantábrico a pintar paisajes. Querían plasmar en sus lienzos la luz de la costa.

El pintor impresionista Darío de Regoyos pasó la Semana Santa de 1906 en Ondarroa. No era la primera vez. Había acudido a menudo con anterioridad. Sobre todo pintaba marinas, barcos al amanecer haciéndose a la mar, o al atardecer cuando volvían.

Se hospedó junto a su mujer en el elegante Hotel de la Bahía. Aquéllos debieron de ser días felices en la vida de Regoyos. El pintor se sentía fuerte y optimista. Y muestra de esa fuerza es el trabajo que realizó en aquel tiempo. En tres o cuatro días pintó el cuadro titulado *Salida de las lanchas boniteras*. Casi de una tirada. Y quedó además satisfecho del trabajo realizado. Se mostraba orgulloso del cuadro y contaba a sus amigos que aquélla era probablemente su mejor obra hasta la fecha. Quedó tan complacido que no quiso vender el cuadro en toda su vida, y siempre lo llevaba consigo, quizás como recuerdo de aquellos felices días.

Tras morir el artista, la obra la compró un empresario llamado Gregorio Ibarra. Por desgracia, el lienzo se perdió en la guerra de 1936. Desde entonces no se ha sabido nada de él. Enseguida surgió la duda sobre el paradero del cuadro, si habría desaparecido o si permanecería perdido en algún rincón. A medida que crecía el misterio, aumentaba su fama.

«Era un cuadro muy melancólico; el ancho mar bajo un trágico y brillante cielo rojizo. Y en él las grandes velas de los barcos, como gigantescas banderas amarillas, una procesión interminable ondeando sobre el agua.» Así lo describió el crítico Rodrigo Soriano. Juan de la Encina, otro crítico de la época, intentó hacer un esbozo para conservar la composición. Pero a partir de ahí la estela del lienzo se perdió.

Muchas veces me he dicho a mí mismo que no estaría mal escribir una novela de intriga en torno al cuadro de Regoyos. Aunque, a mí, en realidad, hay otro misterio que me quita el sueño. Si era Semana Santa, ¿pudo pintar atuneros? ¡Si hasta pasado San Pedro no se pesca bonito! Se confundiría el hombre, o era tan feliz, estaba tan enamorado, que se permitía descuidos tan grandes.

Después de Darío de Regoyos se acercaron numerosos pintores en busca de la luz de la costa. Al menos hasta que estalló la guerra civil. La vista que más les gustaba era la del puente viejo. Los hermanos Zubiaurre, Guiard y el mismo Aurelio Arteta plasmaron en el lienzo la figura del puente medieval sobre el río Artibai.

Aurelio Arteta se acercó a Ondarroa a pintar en la década de 1910. Allí mismo tuvo a los Zubiaurre como maestros. Al igual que ellos, Arteta también pintó el puente. Sin embargo, Arteta pretendía algo más moderno, dar un paso hacia adelante. El puente no era para él un símbolo de los buenos tiempos perdidos. Si lo consideraban un símbolo de lo vasco, como decían algunos, él le daría otro aspecto.

En el mismo año de 1910 realizó Arteta el cuadro conocido con el título *El puente*. En la pintura se ve un vapor pasando bajo el puente. Puso el vapor deliberadamente, para que contrastara con el aire medieval de la construcción. De todos modos, no era esa la única innovación. Al pintar utilizaba la técnica de la fotografía, y el cuadro guarda gran semejanza con las ilustraciones que por primera vez aparecían en los periódicos de entonces.

Entre las pinturas de la misma época hay otra que me llama la atención. *Despedida de las lanchas*. En la misma aparecen cuatro mujeres despidiendo a los barcos que se hacen a la mar. Una de las mujeres tiene un niño en las manos, alzado. De algún modo quiere decirle al marido que vuelva, que ahí tiene a su hijo esperándolo.

Recuerdo una foto que este mismo julio vi en internet. Era una imagen de un cayuco que se dirigía hacia las islas Canarias. Después de muchos días a la deriva en alta mar, finalmente un barco de salvamento los rescató. Las mujeres alzaban a sus hijos con las dos manos para que los vieran desde el barco de salvamento, para que supieran que había niños en la embarcación. La imagen de Arteta era la misma que la de aquellas mujeres africanas.

Una de las modelos de Arteta fue Benigna Burgoa. Benigna era entonces una hermosa joven de dieciocho años. Arteta la vio en la calle y le preguntó si quería ser su modelo. La joven fue a casa feliz y contó la conversación que había mantenido con el pintor, pero sus padres la reprendieron.

Le dijeron que posar de modelo era una cosa de prostitutas, y que ni pensarlo. Como sabían que Benigna andaba muy a gusto con el pintor, le prohibieron salir de casa. Sólo podía salir hasta el puente viejo, a la fuente a por agua. Pero Benigna era muy viva y, como sabía que siempre había una larga cola en la fuente para coger agua, con esa excusa, dejaba la cantimplora a algún conocido y se iba al estudio de Arteta a posar como modelo. Así es como Arteta consiguió retratarla, en los ratos de la fuente.

Benigna guardó tan bien el secreto que nadie supo nada hasta que pasaron muchos años. En una ocasión, cuando ya había muerto Benigna, y con motivo de una celebración en el casco antiguo, colgaron en los escaparates de las tiendas reproducciones de los cuadros de Arteta junto con fotografías antiguas. Tras mirar uno de los cuadros del pintor, un nieto de Benigna exclamó: «¡Pero si es la abuela Benigna!»

Y así es como supieron que la abuela había tenido mala fama y que no había hecho caso a sus padres.

Durante una época ser modelo no era nada fácil. En el franquismo se hizo más duro aún, según me contó otro pintor, Félix Beristain.

Beristain conoció a los hermanos Zubiaurre. Debían de tener el estudio en la calle Iparkale, porque allí la luz entraba del norte y ésa es la mejor luz para pintar, la que menos ensucia. Los Zubiaurre le consiguieron a Beristain una beca en los tiempos de Franco. El resto de las becas fueron para doscientos seminaristas y sólo destinaron una para pintura, la que le dieron a Beristain.

No se sabe muy bien cómo, le consiguieron también un pequeño estudio, bajo el campanario de la iglesia. Aquello era una especie de trastero del ayuntamiento, y allí tenía que arreglárselas el joven pintor para poder pintar entre viejos cachivaches: banderas ajadas, cabezudos, escobas y demás.

Asimismo, en aquel desván se guardaban los libros

prohibidos. Beristain creyó que aquello era una suerte y se imaginó que en tales libros hallaría los placeres proscritos, la puerta de entrada a todos los pecados. Pero los libros prohibidos no eran para tanto, eran demasiado inocentes. Eran libros de Baroja, Kipling y Stevenson.

Un tío nuestro, el tío Boni, se lo encontró allí una vez, porque el estudio además de ser un almacén cumplía las funciones de calabozo del pueblo. Y en una ocasión en la que prohibieron salir a la mar por mal tiempo y Boni incumplió la orden, lo condenaron a pasar un par de días en aquel viejo desván.

Allí se juntaron los dos y hojearon los libros prohibidos.

Las modelos también subían de vez en cuando al estudio. El boticario de al lado de la iglesia lo descubrió y se quejó al vicario de las cochinadas que harían aquellas chicas en el campanario.

Al final, terminaron cerrando el estudio de Beristain.

El calabozo, sin embargo, no lo cerraron.

Un monstruo, el rugido de un monstruo. Las sagas irlandesas llaman a la isla de Rockall, Rocabarraigh. La roca que ruge. Según la tradición celta, la tercera vez que aparezca la roca llegará el fin del mundo. Porque la roca aparece y desaparece. Sólo se puede ver en verano, en invierno las olas la cubren, hasta hacerla desaparecer.

El fenómeno de las olas gigantescas no ha sido investigado a fondo entre los científicos. Los relatos de los marineros han sido considerados siempre míticos, leyendas en las que las olas alcanzaban el tamaño de las montañas en esa parte de Rockall. Nadie les creía, se pensaba que eran exageraciones.

Mi padre también nos aseguraba que en invierno alcanzaban la altura de nuestra casa. Vivíamos en un edificio de siete pisos, en el quinto. Y él decía que las olas de Rockall llegarían hasta el tejado. «Sí, ya», le replicábamos los hermanos, convencidos de que quería darse importancia.

No se enfadaba.

Entre los científicos, hasta hace muy poco, se ha creído que las olas más altas no superaban los quince metros. A pesar de que los marinos dijeran lo contrario.

Las olas gigantes no tienen nada que ver con los tsunamis. Éstos los crean los maremotos y al llegar a tierra aumentan de tamaño, cuando tocan el fondo del mar. Más de un marino me ha contado que los tsunamis han pasado bajo el barco, y ellos ni se han dado cuenta. Si estás en alta mar los tsunamis no son nada peligrosos.

Sin embargo, el fenómeno de las olas gigantes es muy distinto. Cuando comenzaron a hacer mediciones desde los satélites se dieron cuenta de que en el Atlántico las olas eran más grandes de lo que pensaban. Pero en esas mediciones no se diferenciaba exactamente su altura. Para ello era necesario estar en el mar mismo.

En febrero del año 2000 hallaron en la zona de Rockall al norte de Escocia la ola más grande jamás medida. La embarcación *RSS Discovery* consiguió medirla el 8 de febrero de aquel año, entre las seis de la tarde y las seis de la mañana. El barco se hallaba en la posición 57,5 N y 12,7 W, al este de Rockall, a unos doscientos cincuenta kilómetros de Escocia. El viento soplaba del oeste.

El descubrimiento lo hizo el grupo de trabajo de la investigadora Naomi P. Holliday. Lo más curioso es que ese tipo de olas no surgen en los temporales más fuertes. En las mediciones realizadas por barcos y boyas en medio de los huracanes, por ejemplo en la realizada en el caso del huracán Iván, las olas alcanzaron una altura máxima de 17,9 metros.

Esto es lo que dice Naomi P. Holliday en sus conclusiones del artículo científico «Were extreme waves in the Rockall Trough the largest ever recorded?», *Geophysical Research Letters*, vol. 33, L05613, 2006: «El altímetro vía satélite ha demostrado que no mide las olas como es necesario y que las ve más pequeñas de lo que son. El medidor de nuestro barco ha hallado una ola de 29,1 metros de altura. La ola más grande jamás medida. Por lo tanto, queda claro que las mediciones hay que hacerlas en el mar, por medio de boyas y barcos.»

Veintinueve metros con uno. Recordé la medida de mi padre. Una casa de siete pisos. Siete por tres, veintiuno. A esto hay que añadirle la planta baja. Imaginemos que son cuatro metros. Veinticinco metros.

El tejado, otros dos. Veintisiete metros.

Mi padre tenía razón, aquella ola hubiera cubierto nuestra casa.

4

CORTOMETRAJES EN 16 MILÍMETROS

En Bilbao los aviones emprenden su vuelo hacia el mar.

El avión despega y se eleva sobre la desembocadura del Nervión rumbo al ancho mar. Desde el aire recorre el mismo cauce que en otro tiempo surcaron los mercantes ría abajo. El viento sur acerca las distancias y contemplo con nitidez el paisaje. Las viejas grúas, las fábricas, el superpuerto.

En nuestra tierra, en otoño es normal el viento sur. Si sopla en octubre el tiempo suele ser apacible casi hasta Navidad. La abuela materna, Amparo, contaba que aquel invierno de 1936 había sido muy templado, que apenas había nevado. Como si Dios hubiera querido suavizar la guerra, como si se hubiera apiadado de los gudaris. Así lo contaba ella.

Al alcanzar el mar, el avión ha virado hacia la derecha, por los acantilados de Punta Galea, las playas de Sopelana, y después Urdaibai, Gernika. Tan pronto como ha llegado a la altura de Ondarroa-Mutriku, se ha introducido de nuevo en tierra, sobre el vasto continente, destino Frankfurt.

En esa misma zona, entre Ondarroa y Mutriku, se ubica el barrio de San Jerónimo. En el otoño del 2005 escribí una columna titulada «San Jerónimo». En ella contaba cómo, adolescente, fui con mis padres a la romería del barrio del mismo nombre. La fiesta se celebra el 30 de septiembre y todos los años llueve. Por eso los del pueblo le llaman «San Jerónimo, el santo meón». El caso es que, en aquella ocasión, acudí con mis padres porque en la plaza del barrio tocaba Kaxiano, el acordeonista ciego. En la entrada una mujer me ofreció una carta, como al resto de chavales. La mujer tenía dos barajas y a los chicos nos repartía de una y a las chicas de la otra. Cada uno debía bailar con quien tuviera su misma carta. ¡Qué agobio! Sin poder soportar la vergüenza, tiré la dichosa carta en un rincón y al final no bailé con nadie.

Siempre me preguntaba quién sería aquella chica a la que dejé plantada con mi misma carta. Si habría encontrado el verdadero amor o, si desde entonces, aún estaba esperando a que apareciera su pareja de baile.

Eso era lo que contaba la columna.

El artículo se publicó en otoño del 2005. Una noche de aquel invierno Nerea se acercó y me dijo, «yo era la chica que en San Jerónimo tenía tu misma carta».

Desde entonces no nos hemos separado.

Cada año, a primeros de junio, los Bastida hacían el mismo viaje. Alquilaban un autobús en Bilbao, se metían todos dentro y partían hacia Ondarroa, la familia entera y el servicio. Las imágenes del autobús aparecen registradas en el cortometraje de 16 milímetros que grabó el mismo

Bastida. En los viejos fotogramas de los años veinte, se aprecia un autobús descapotable, y los hijos e hijas del arquitecto sonríen con sus cabellos al viento.

Llegaban en junio y regresaban en septiembre. Pasaban todo el verano en la costa. Bastida era un hombre metódico, y la vida cotidiana de la familia solía ser también muy ordenada. Se levantaban muy temprano e iban a misa, de ahí a la playa, y a eso de las tres, a comer. «Tu padre y sus hermanos venían también a menudo a comer con nosotros a casa. Después de que acabaran las tareas de la playa. Tu abuelo también frecuentaba nuestra casa. Recuerdo que un día de invierno nos visitó de improviso en Bilbao con una merluza enorme. Nosotros nos quedamos asombrados. "Es que me he acordado de vosotros." Eso fue lo que nos dijo», me contó Carmen Bastida.

Por las tardes, hacían los deberes en casa. Los fines de semana, remaban en el río.

Oían siempre misa a las siete de la mañana, «a nosotros no nos apetecía ir a esa hora, era demasiado temprano. Pero después agradecíamos el habernos levantado tan pronto, sobre todo cuando eran las fiestas del pueblo, porque si ibas a misa de once, a la salida de la iglesia estaban los cabezudos esperando a los niños. Y a mí los cabezudos me daban muchísimo miedo».

Bastida se quedaba en casa hasta la una del mediodía, trabajando, leyendo revistas extranjeras o escuchando música. Tenía un gramófono en el salón y también algunos discos. «La música que más le gustaba era la de Wagner.» Trabajaba en una gran mesa de castaño; sobre ella realizaba todos sus proyectos.

Nerea y yo fuimos a visitar a Carmen en Bilbao. La casa no había cambiado nada desde los tiempos en que

Ricardo Bastida vivía en ella. Parecía que el arquitecto podía abrir la puerta de la calle en cualquier momento y entrar en su habitación. El estudio donde trabajaba estaba tal y como él lo había dejado. Los regalos de sus amigos pintores colgados de las paredes. Entre ellos, obras de Arteta. Los bocetos que hizo sobre papel para los murales del Banco de Bilbao de Madrid.

«Ésta era la mesa en la que trabajaba», nos dijo Carmen acariciando el mueble de su padre. Tomamos el café en aquella misma mesa, y sobre ella desperdigó Carmen los álbumes de fotografías en blanco y negro.

A eso de la una solía aparecer Bastida por la playa. Siempre vestido de traje. Se quitaba la chaqueta y se quedaba con la camisa blanca. Allí permanecía, a la sombra, conversando con los amigos. Carmen nos contó que por el pueblo circulaba una habladuría a cuenta de la camisa.

«Ese Bastida, o es demasiado limpio, o es un auténtico cerdo. O se cambia todos los días la camisa o siempre lleva la misma haga el día que haga.»

Porque siempre vestía con camisa blanca.

«Ni que decir tiene que todos los días se cambiaba de camisa», aclaró Carmen con una sonrisa, y luego se tomó un respiro.

«¿Cuál es tu recuerdo preferido de aquella época?», le pregunté después de un breve silencio.

«El sabor de los helados de fresa. En junio recogíamos fresas silvestres y luego íbamos a por hielo a la fábrica del puerto. Después lo mezclábamos todo y hacíamos el helado en casa. No se me olvidará en la vida ese sabor.»

Sin duda el día más alegre era el 15 de agosto. El día de la Virgen. Se celebraban las fiestas del pueblo y Ricardo Bastida cumplía años ese mismo día. Todos los niños del pueblo acudían a su chalet, ya que Ricardo repartía entre los niños caramelos.

Bastida amaba el cine. Movido por esa afición, comenzó a grabar películas en la década de los veinte. Algunas eran de ficción, y otras recogían la vida cotidiana de la familia. «Mi padre nos volvía locos, al principio lo de las películas era muy bonito, nos disfrazábamos y nos sentíamos artistas. Pero luego había que organizar todo aquello, preparar las escenas, grabarlas una y otra vez. Todavía me asombra el trabajo que le causaba a mi padre aquel montaje. Y todo para hacer actividades con sus hijos», decía Carmen de las películas.

Vimos todos los cortometrajes, desde los más antiguos a los más modernos. El primero se titulaba *Gente de mar.*

Films Bastida
AGFA 16mm
1928

La película trataba sobre la gente del mar, y recreaba las duras condiciones en las que faenaban los pescadores. Incluso simularon una tormenta y grabaron el naufragio de un barco. Parecía de verdad, a pesar de que utilizaron un barquito de juguete para los efectos especiales. La película fue grabada en la cala de nombre Sagustán, entre Ondarroa y Lekeitio, a la altura de la roca que llaman Irabaltza. Los actores eran el matrimonio Bastida y sus hijos. Y el servicio doméstico.

El segundo film era de ambiente rural, *Las albarcas de José Mari,* grabado en un caserío de verdad, con su par de bueyes y todo. El tercero era de humor, *Doctor Patatoff,* sobre un médico chiflado.

Después estaban las grabaciones propias de la vida cotidiana de la familia. En una de ellas aparecía Ricardo, el hijo mayor del arquitecto, bañándose en la playa de Arrigorri. «Era un joven muy guapo, arquitecto él también... Murió en la guerra.»

«El que viajó a Estados Unidos cuando apenas era un chaval...», añadí yo. Lo había leído en la biografía del arquitecto.

«Así es. No tenía más de catorce años. Cruzaron el Atlántico, y estuvieron en Nueva York, Chicago, Detroit. Mi padre lo incitó a que escribiera un diario. No es gran cosa, niñerías.»

Lo del diario me sorprendió bastante. Iba a preguntarle algo pero Carmen señaló a la pantalla. «Mira, Atano tercero.»

Era verdad. En la película aparecía Atano III, el mítico pelotari. Salía jugando un partido de pelota en el frontón del pueblo y sin quitarse la boina de la cabeza. Luego vimos imágenes de una carrera ciclista que discurría por la carretera de Lekeitio, las hazañas del ciclista Barruetabeña.

Después, más episodios cotidianos de sus hijos. Cuando se levantaban de la cama por la mañana; mientras almorzaban al aire libre, las cabezas cubiertas con un pañuelo, en sus sillas de mimbre; o el primer día que el hijo José Mari se vistió con pantalones largos.

Los protagonistas envejecían y cambiaban de aspecto a medida que transcurrían los años. De las imágenes en blanco y negro a las de color. Aparecía Carmen niña, Carmen mujercita en el parque Doña Casilda, la señora Carmen en el chalet de verano. Esas imágenes en color eran las últimas. Un retrato de la familia, con las sirvientas en el jardín. En primer plano, Ricardo y Rosario, el matrimonio. Ya mayores.

De esa última escena me llamó la atención un gesto entre el marido y la mujer. De repente, el matrimonio se mira a los ojos, muy cerca el uno del otro. Parece que van a darse un beso. Pero entonces Rosario le da a Ricardo un golpecito en la nariz con la punta del dedo y el marido sonríe.

«Mi vida la cambiaron dos sucesos. El primero fue la guerra. El segundo la muerte de mi padre.»

Me quedé mirando a Carmen. Era una mujer entrada en años, pero sus grandes ojos parecían los de una joven.

A mi padre le hubiera gustado visitar a Carmen en Bilbao. Rememorar el tiempo compartido, cuando eran niños. Era un propósito que solía recordarle a mi madre. Pero que nunca cumplió. Ahora era yo el que estaba sentado delante de aquella mujer.

Mi padre se quedó de piedra cuando me presenté a su lado con un atlas y un bolígrafo. Fue al poco de retirarse del mar.

Le di el bolígrafo para que me marcara exactamente la ruta entre el pueblo y Rockall. Mostró desconfianza, como si otro patrón de pesca le estuviera pidiendo algún secreto del mar, el camino a una cala oculta.

Al final lo hizo: cruzar Francia, subir hacia arriba por el canal de San Jorge y hacia el noroeste. Ese era el camino a Rockall.

Cuando vi cómo dibujaba su nerviosa mano, se apoderó de mí una extraña sensación. Me di cuenta de que aquella línea que trazaba mi padre con el bolígrafo se quedaría en ese atlas para siempre.

Pero, al mismo tiempo, me daba cuenta de que mi padre no estaría siempre ahí, que la marca en el libro perduraría, pero él no. Sentí terror, miedo de perder a mi padre.

Un patrón no enseña jamás sus cartas de navegación, cuando llega a puerto se lleva con él los rollos a casa.

La muerte tampoco enseña jamás sus cartas.

5

COSAS DE CASA

El escritor necesita protección. Sobre todo en los comienzos. Desea que le den confianza, escuchar de otros que va por buen camino y que no se equivocó en el último cruce. El escritor necesita protección cuando empieza. Por eso le pregunté su opinión a mi padre cuando publiqué la primera columna en prensa, esperando recibir su aprobación. Esas columnas eran mis primeras publicaciones, en aquel lejano 1998. Eran mis inicios. Aquella primera columna la elaboré muchísimo, y dediqué largas horas a su redacción. Intenté que el estilo fuera lo más literario posible, y me salió algo parecido a un cuento breve. Con el tiempo he aprendido que las columnas han de ser columnas, y los cuentos, cuentos. Las columnas exigen una condición que los cuentos no requieren: la inmediatez.

La respuesta de mi padre fue deliberada. No recibí su aplauso, pero en compensación, me contestó a través de una historia. Cuando él era un muchacho había dos curas en el pueblo. Cada uno de ellos tenía su propia manera de predicar la homilía. Uno, don Manuel, era cercano, y la gente entendía sin dificultad el sermón que pronunciaba. Sin embargo, el estilo del segundo cura, don Jesús, era retorcido. No se le entendía nada. Dirigía su homilía a los ricachones que se acomodaban en los primeros bancos de la iglesia. Pues bien, yo escribía como ese cura, me explicó mi padre, como don Jesús.

Siempre le agradeceré a mi padre su franqueza. Por una parte me mostró que mi columna era demasiado literaria para un periódico. Y, por otra, no dictó sentencia, no proclamó «la columna es buena» o «es mala». Se valió de una historia para desarrollar su argumento, sin calificaciones. Y eso precisamente fue lo que más me gustó, que un breve relato le bastara para que yo comprendiera con claridad su enseñanza. De hecho las historias recogen los matices de la realidad. Y los matices son lo más importante en la vida.

Es curioso cómo trabaja la memoria, cómo recordamos a nuestra manera, convirtiendo en ficción lo que en otro tiempo fue realidad. Por lo menos así sucede en las familias. Se inventan historias no sólo para ilustrar o educar, también para compartir creencias, para legar tradiciones o para acordarse de los antepasados. Gracias a esas narraciones recordamos a quienes nos precedieron y nos hacemos una idea de cómo fueron. A cada cual se le adjudica un determinado papel en esas historias y conforme a esa interpretación pasa a ser parte de nuestra memoria.

De la abuela de mi madre se decía por ejemplo que era muy religiosa. Y con eso se ha quedado. La abuela Susana vestía unas faldas largas, y también bebía vinagre para empalidecer su rostro y mortificar su belleza. En navidades montaba un gran nacimiento en su casa que ocupaba todo el salón. Ella hacía, a mano, las imágenes de cera del Belén; modelaba los pastores y las ovejas, también los santos. Los montes los hacía con musgo e incluso reproducía un río, con agua de verdad.

La gente del pueblo acostumbraba a visitar la casa de la abuela. Padres e hijos admiraban el nacimiento y a la salida depositaban unas monedas en un cesto con la figura de un monaguillo.

Así se ganaba un sueldo la abuela Susana. Con el belén y vistiendo a los santos de la Iglesia. Se ocupaba especialmente de la Virgen de los Dolores. Lavaba las ropas de la imagen de la Virgen. En cierta ocasión, tras el naufragio de julio de 1908, los pescadores del pueblo, temerosos, donaron cierta cantidad de dinero a la Iglesia para que evitara una desgracia parecida. Con ese dinero le confeccionaron una capa nueva a la Virgen de los Dolores. Y Susana se quedó para ella la capa vieja y la guardó en una caja. Nuestra abuela Amparo, su hija, le preguntó para qué quería ella esa capa. «Cuando me muera, quiero que me vistáis con la capa de la Virgen.» La hija no podía creerlo. Le sacaba de quicio que, cuando soplaba viento sur, Susana sacara la capa de la caja y la colgara en el balcón. «Hay que ventilar la capa, para el gran día», solía ser la respuesta de la devota Susana.

A ese mismo grave naufragio de 1908 era al que se había referido la tía Maritxu cuando la visitamos en su casa de Begoña. El hundimiento del velero *San Marcos* en el que se ahogaron, frente a la bahía de Ondarroa, su tío Ignacio y su abuelo Canuto, sin que después hallaran sus cuerpos. Maritxu nos había contado que los de casa vieron de cerca el desastre, pero que no pudieron hacer nada. El dolor había resultado aún más terrible precisamente por eso: ver que los tuyos se ahogan y no poder hacer nada para salvarlos.

Cuando ocurrió el naufragio Maritxu todavía no había nacido. A ella también le contaron lo sucedido, lo más seguro en casa. Y ella me lo transmitió a mí también del mismo modo, como si lo hubiera vivido *in situ*.

Pero cuando fui al juzgado de paz en busca de las actas de defunción de Canuto e Ignacio Badiola, me llevé una tremenda sorpresa. Marta, la secretaria, me había preparado los documentos. Y un dato me dejó perplejo. El abuelo Canuto y los otros no habían muerto en la bahía de Ondarroa, sino en la parte de Santander.

Luego consulté en las crónicas de la época y verifiqué que los papeles no estaban confundidos: el naufragio ocurrió en la zona de Santander. Se registraban algunos detalles también, como que el viento había rolado de forma brusca a noroeste.

En total murieron veintiocho personas aquel 12 de julio de 1908. Siete en el barco *San Marcos*, ocho en el *San Jerónimo*, dos en el *Santa Margarita*, tres en el *Jesús, María y José*, tres en el *Nuestra Señora de la Antigua*, cuatro en el *Concepción* y uno solo en el *San Ignacio*.

El vapor *Joaquín de Bustamante*, que exploró la zona de la catástrofe, logró rescatar de las profundidades los restos del velero *San Jerónimo*. En el interior del barco encontraron un reloj parado a las once y media.

¿Pero cómo me pudo contar Maritxu que el naufragio había sido en Ondarroa? ¿Por qué ese cambio de lugar?

La tragedia fue tan terrible, que al recordarla incluso cambiaron el lugar de la muerte. Lo aproximaron, de Santander a Ondarroa. La memoria acercó la desgracia.

La manera en la que trabaja la memoria no sólo atañe a las familias, también a los pueblos. El caso de la fuente de Berriozabal en Elorrio es buena muestra de ello. De generación en generación se ha creído que la fuente representaba motivos incas.

La fuente la mandó construir en el siglo xix Manuel Berriozabalgoitia. Con anterioridad había emigrado al Perú, tras graduarse en Derecho. En 1803 llegó a Cuzco. Conoció a una mujer criolla, María, morena de ojos grandes, oscuros, tristes, como si soportaran el peso del mundo. María era de buena familia. De las más ricas del Perú. Sus padres no deseaban a Manuel Berriozabalgoitia en casa, un joven y desconocido abogaducho recién llegado de Europa. Pero al cabo de cuatro años se casaron. Manuel era listo y prudente, y en pocos años dobló los bienes de la familia para sorpresa y satisfacción del suegro. Parecía que nada se cruzaría en su camino. Pero toda cara tiene su cruz. Los rebeldes se alzaron en Quito. Y luego en Charcas y después en Potosí. Pronto conseguirían la independencia de España. Perdidos todos sus bienes, Manuel y familia se encontraron con que debían volver a Europa.

Dicen que a María se le hacían demasiado largos los inviernos de Elorrio. Que no tenía con quién hablar, con quién pasarlo bien. Al marido lo único que le importaba era recuperar su fortuna y pasaba largas temporadas fuera de casa, en Madrid. Y a María, apenas llegaba el otoño, le entraba una especie de desgana en el corazón, y se acordaba de los rincones soleados de Cuzco y sus ruidosas calles.

María cambió. Cada vez era más callada. La veían sola, paseando por los bosques de alrededor. A la hora de la cena apenas se hablaban marido y mujer.

Fue entonces cuando Manuel decidió construir la fuente. Aquella fuente les recordaría a Cuzco, su luz, los años felices que María y él habían pasado allá.

Dicho y hecho. El arquitecto Miguel Elkoroberezibar se encargó del diseño. Eligieron a los más reputados canteros de la zona. Seleccionaron las mejores piedras. Las cincelaron con gran esmero y con especial dedicación las pusieron una sobre otra.

Eso es lo que se cuenta.

A mí siempre me ha gustado esta historia de la fuente. Me interesaba, por una parte, la cuestión del destierro. Manuel y María, los dos prisioneros del destierro, se hallaran donde se hallaran. La nostalgia de volver a su patria nunca podría abandonarlos, a pesar de que el tiempo cambie a las personas y los lugares. Pero sobre todo me gustaba que a alguien se le ocurriera algo tan hermoso para alegrar a su amada. Me fascinaba ese último esfuerzo para recuperar lo que habían sido, antes de perderla para siempre.

Cualquiera sabe que la fantasía se inspira en la realidad, pero la ley de la ficción exige que sólo se cuente una parte de la verdad. Aquella que dé sentido a la historia. Así debe ser. Si no, no funciona. Poco importa que el *San Marcos* naufragara en Santander, que la abuela Susana ventilara la vieja capa de la Virgen o que el discurso de don Jesús fuera en verdad retorcido.

Miguel Elkoroberezibar no sabía nada del arte inca y tomó la escuela neoclásica como modelo para hacer la fuente. La intención de Manuel Berriozabalgoitia no fue en absoluto romántica. Manuel creía en el progreso, y aquella fuente la ordenó construir para mejorar las condiciones de vida de los habitantes de aquel barrio.

Lo demás es una maravillosa invención de la gente.

6

DOS AMIGOS

Al despedirse, Carmen Bastida me entregó un sobre y me dijo, «ésta es la correspondencia entre Arteta y mi padre. Espero que encuentres algo de valor. Es para ti, no tienes que devolvérmela».

Eran fotocopias de las cartas originales. Ella sabía que investigaba la relación entre Arteta y Bastida y aprovechó mi visita para regalarme una copia del valioso epistolario. No me lo confió, sin embargo, hasta el momento de la despedida.

«No te preocupes. Tus abuelos eran buena gente», aseveró de improviso al acercarme a darle dos besos. Aquello me dio que pensar.

Al día siguiente, abrí el sobre y me dispuse a mirar la correspondencia entre Bastida y Arteta. Por desgracia, no había ninguna carta de la época del mural del chalet y del Banco de Bilbao. Más adelante supe que cuando comenzaron las obras de Madrid, Bastida visitaba todas las semanas a Arteta. Entonces no hubo necesidad de escribirse. Las cartas fueron posteriores.

Lo de Madrid salió tal y como pensaban. Tuvieron mucho éxito. Y a raíz de eso, los dos artistas volvieron a trabajar juntos en distintos proyectos. El primero, en el instituto de Bilbao.

Era el año de 1927. El 1 de octubre inauguraban el primer instituto del centro de Bilbao, y para la ocasión querían un retrato del rey Alfonso XIII. Bastida diseñó el edificio y también se acordó en esta ocasión de su amigo pintor. Arteta aceptó, acabó a tiempo el cuadro, y el día señalado lo colgaron en el paraninfo del instituto.

Sin embargo, tras la guerra se perdió sin dejar rastro. Y así aparece también en los libros de arte, como un cuadro perdido.

En la primavera del 2005 ofrecí una conferencia en ese mismo instituto. Concretamente en el paraninfo. Entré en la sala e inmediatamente me di cuenta de que el cuadro estaba allí mismo, justo enfrente. No me lo podía creer.

«Tenéis aquí una joya», aseguré a los alumnos y a los profesores, estupefacto, ya que estaba convencido de que el rastro de aquel lienzo se había perdido para siempre.

Al oírme uno de los profesores me contó la historia.

«El cuadro no ha estado siempre colgado en el mismo sitio. Hace unos años descubrieron un gran lienzo en el trastero, entre mesas y sillas apolilladas. Era un retrato de Franco, pintado en los años cuarenta. Al restaurarlo se percataron de que debajo había pintada otra imagen. Rascaron la pintura de la superficie y se encontraron con la cara de Alfonso XIII», me contó el profesor.

Aquél era el cuadro de Arteta. En todos aquellos años el cuadro no había salido del instituto, había permanecido allí, pero oculto tras otra imagen.

Franco estaba por encima de todo.

El segundo encargo que aceptaron juntos fue el del seminario de Logroño. Bastida le propuso a Arteta que se encargara de las pinturas decorativas del edificio.

El trabajo se convirtió en un infierno para Arteta. El obispo que gobernaba aquel centro no se fiaba demasiado de aquel pintor agnóstico y no le dejaba trabajar en paz. Arteta lo pasó mal y eso se refleja claramente en las cartas. Aunque también ofrecen su lado cómico.

Uno las lee y resulta evidente el contraste de personalidades entre Bastida y Arteta. Eran completamente distintos. Arteta escribía sus cartas a mano. Cogía media hoja y la doblaba. Comenzaba a escribir la carta en la primera cara, seguía en el interior y terminaba en la cara posterior. Si se confundía en algo, hacía una tachadura y seguía escribiendo.

Las cartas de Bastida no tienen nada que ver. Son completamente diferentes. Están escritas a máquina, pulcrísimas, y sin tachones. Por lo que pudiera pasar, escribía sobre un papel de calco, para conservar en casa copia de las cartas enviadas.

Incluso el papel es elegante. En la esquina superior izquierda lleva impreso el membrete.

RICARDO DE BASTIDA
ARQUITECTO

———

Ondarroa (Vizcaya)
Teléfono n.º 1

———

Arteta en la mayoría de las ocasiones escribe a Bastida pidiéndole ayuda. Por ejemplo, cuando debe presentar ante el obispo el proyecto con las pinturas que ha ideado, solicita al arquitecto su apoyo.

Y también le escribe para quejarse de que el obispo se entromete demasiado en su trabajo.

No hay duda de que el obispo agobiaba a Arteta. Continuamente enseñaba al artista estampitas y libros religiosos y lo volvía loco. Le mostraba las estampas y le indicaba al pintor que le gustaría la figura de este santo o de este otro.

«El hombre no se da cuenta de que una cosa son las ilustraciones y otra la pintura», le escribe Arteta molesto a Bastida. Además, el obispo insistía en colocar a la Virgen justo en medio del muro, como si el mural fuera una gran estampa.

La carta que Bastida envió a Arteta el 23 de mayo de 1929 es memorable.

Bastida aconseja a Arteta que resista, que no ceda a las peticiones del obispo. Si condescendiera una sola vez, por ejemplo, con respecto a la colocación de la Virgen, sería la ruina de la pintura. Porque de ahí en adelante tendría que cumplir siempre lo que quisiera el obispo. Bastida le pide que sea tenaz, que por favor persevere, porque si el obispo comprobara que aguanta con firmeza, lo dejaría en paz y no volvería a inmiscuirse en su trabajo. Bastida le advierte de que a él le ocurrió lo mismo cuando le presentó los planos del edificio, pero al final al obispo no le quedó otro remedio que aceptarlos tras una dura batalla.

Aunque le violente a Vd., ponga freno a su gran delicadeza. Perdone Vd. que se lo diga con toda franqueza: lo correcto no es ceder en lo que contraría a su conciencia de artista: sino sostenerse firme, de acuerdo con

ésta. De no hacerlo así, la concesión (con-
cesiones) que ahora hiciera Vd. dejándose
llevar de su caballerosidad, pesaría después
toda su vida sobre su conciencia de artista;
y, repito, no tome a mal esta claridad con
que le hablo, llevado de mi amistad y de mi
deseo de que, siquiera en gloria, encuentre
Vd. la compensación debida a ese trabajo (ya
que no en provecho material): pero si no
triunfa Vd. en este primer combate, le veo
perdido en un declive sin remedio.

Le saluda muy cariñosamente su buen amigo,

Bastida

La carta del arquitecto, sin embargo, no surtió el efecto esperado. En la carta que el 8 de junio le envía desde
Logroño, Arteta le confiesa a Bastida que ha cedido ante
el obispo. Que colocará a la Virgen justo en la mitad, y a
continuación se consuela diciendo que no quedará tan
mal. Que en las pinturas primitivas también se hacía así y
que se ha inspirado en ellas.

Pero Arteta se engañaba a sí mismo.

Bastida sabía bien lo que iba a ocurrir. Debía finalizar el mural para el primero de octubre, pero en la carta
que escribió el 4 de septiembre es evidente la desespera-
ción de Arteta. Las dificultades se le acumulan. El polvo
de mármol no es tan fino como el empleado en Madrid y
el agua no le convence porque seca demasiado deprisa. El
dinero también escasea y Arteta le pregunta a Bastida si
podría cobrar una parte antes de finalizar la obra.

Después de tanto tiempo tan sólo ha pintado la línea
horizontal del mural.

Mi querido amigo:

Tal vez le sorprenda a usted que el trabajo se prolongue mucho más de lo esperado. Pero
la marcha empezó a detenerse en la figura de
la Virgen, cuya cabeza repetí cuatro veces. Por
mi voluntad unas y por disconformidad del Sr.
Obispo otras. Y lo malo es que estas reformas a
última hora nos han complicado bastante más
el trabajo. Verá usted: la primera cabeza que
pinté parece que le gustaba al Sr. Obispo, pero
me dijo que la encontraba pequeña, mezquina
y, en un párrafo fervoroso, me realzó la importancia de la imagen. No tuve más remedio que
agrandarla.

No me pareció mal del todo, partiendo del
concepto primitivo de hacer mayores las figuras
principales en estas composiciones pero me he
encontrado, después, con que no era esa su idea.
Al darse cuenta que quedaba la figura de la Virgen un poco mayor que las de los apóstoles me
dijo: «No está bien que las figuras de los hombres
sean más pequeñas que la Virgen», y añadió:
«¿Podrá Vd. agrandar los dibujos, verdad?»

A mí no me importa repetir y corregir cien
veces pero me da pena que, además de estropear
la obra, no se dé cuenta del esfuerzo de mi trabajo.

Pero, además, he tenido otra complicación.
La semana pasada me puse enfermo.

Le saluda y abraza,

Arteta

56

Aunque parezca mentira, Arteta finalmente acabó su trabajo y además todos quedaron contentos. Incluso el obispo. Los críticos alabaron los guiños a la pintura primitiva, y adujeron que recordaban a los frescos de Fra Angelico.

Hubo algún crítico que, por el contrario, subrayó la falta de fe de Arteta, y dijo que se veía claramente que el pintor no creía en el proyecto.

Las dudas e inseguridades de Arteta me trajeron a la memoria el proceso de escritura de este mismo libro.

En diciembre del 2002 escribí la primera frase de la novela.

Quería una frase con fuerza para el principio, como la de la novela de Carson McCullers *El corazón es un cazador solitario*. «En la ciudad había dos mudos, y siempre estaban juntos.» Esa frase dice mucho. Primero que la novela trata sobre dos mudos, pero también indica la exclusión que sufren y trasluce la amistad que los une.

O la de la novela *La campana de cristal* de Sylvia Plath.

«Era un verano extraño, sofocante, el verano en que electrocutaron a los Rosenberg, y yo no sabía qué estaba haciendo en Nueva York.» Es un comienzo impresionante. En una sola frase sitúa la acción, cuándo, y dónde y cómo se halla el narrador.

«Para cuando nació mi padre, la casa ya estaba en ruinas.»

Ésta fue la primera frase que elegí para empezar la novela. Luego mantuve el comienzo pero borré la palabra «padre» y más tarde sustituí la parte final y escribí «para cuando nació, ya no quedaba nada». Yo intuía que ese «para cuando nació» atesoraba algo notable, algo capaz de despertar en el lector una suerte de curiosidad.

Ese mismo año incluso presenté a una beca el proyecto de la novela, con aquella primera brillante frase, pero lo rechazaron. Al proyecto lo llamé «Dos amigos» y no pasaba de las veinte páginas.

De aquellas veinte páginas, sólo había una frase que merecía ser tenida en cuenta.

«Las casas se mueren si nadie las habita, y también las personas.»

Cuando lo rechazaron sentí pena, tengo que reconocerlo. Pero hoy es el día en que agradezco la clarividencia de aquel jurado. Entonces era demasiado pronto para escribir la novela, cada cosa tiene su tiempo.

Aun así, he de decir que me mantuve fiel a aquel comienzo y que durante mucho tiempo no lo modifiqué. Incluso aposté con los amigos a que mantendría la frase hasta la publicación de la novela. Pero, por otro lado, me decía a mí mismo que la tozudez era una mala señal, y que no progresaría si me obstinaba con esa frase.

Al final he perdido la apuesta, como tantas otras veces, y por supuesto, he cambiado la primera frase. Ahora dice así:

«Los peces y los árboles se parecen.»

7

FRANKFURT

Hemos llegado a Frankfurt a la hora prevista. A las tres y veinte de la tarde. El vuelo a Nueva York sale a las cinco. No me queda más que una hora y veinte minutos para pasar de la terminal B a la A. Hemos desembarcado sin *finger*. Un autobús nos ha trasladado hasta la terminal. A nuestro paso se han abierto las puertas de cristal. Hemos subido las escaleras mecánicas. Control de pasaportes. Descenso en ascensor. Túnel que va de una terminal a otra. Las luces del pasadizo se han encendido y apagado. Ahora rojas, ahora verdes. Se oye música de fondo. Unas notas sueltas. Parece una nave espacial. He entrado en el ascensor y he salido en la terminal A. Frente a mí, la pantalla en la que aparecen los números de las puertas de embarque. He buscado Nueva York con la mirada. Nueva York. LH404. Ése es. Puerta A32. Control para viajar a Estados Unidos de América. Me han hecho quitarme los zapatos.

He pasado el control. Me he sentado en la sala de espera de mi vuelo y he respirado. Nada ha cambiado desde la última vez que fui a Nueva York. Ahí reposan los aviones tras los ventanales. Más tranquilo, me he dedicado a mirar a la gente, a mis compañeros de vuelo, pero en principio ninguno ha despertado mi interés.

Recuerdo que en mi anterior viaje del 2003 sí que me fijé en una chica con aspecto hindú. Caminaba de un lado para otro. Por un momento nuestras miradas se cruzaron. Tenía unos grandes ojos oscuros. Tímidos. Luego la muchacha se perdió entre la gente. A la espera de subir a bordo, como pasatiempo, fantaseaba sobre los motivos de su viaje a América. Quizás estudiaba en la Universidad de Nueva York. Tal vez habría visitado a su familia en la India y ahora regresaba de nuevo a Estados Unidos.

Hice cola, subí al avión y localicé mi asiento. Mientras guardaba el equipaje de mano en el compartimento superior casi ni me di cuenta. La chica india permanecía detrás de mí, de pie, con el billete en la mano. Su asiento estaba al lado del mío. Fue una sorpresa, toda una casualidad que en un avión de más de trescientos pasajeros nos tocara sentarnos juntos. No dijo nada. Esbozó una pequeña sonrisa, dejó sus cosas en el compartimento superior, se sentó y ató su cinturón. *Boarding completed*. Las puertas del avión se cerraron.

Al principio no me atreví a decirle nada a la chica. Pensé que siete horas serían suficientes para darnos a conocer. Una vez comenzado el vuelo la conversación surgiría por sí misma.

Ocupábamos los asientos de la parte central del avión. En el lugar más incómodo, ya que no es fácil salir de ahí si quieres estirar las piernas o ir al baño.

La chica advirtió que junto a la ventana había dos sitios libres y le preguntó a la azafata si podía sentarse allí. La azafata asintió y su despedida consistió en otra pequeña sonrisa. Y la supuesta india se colocó junto a la ventana dejando el asiento junto al mío vacío.

Pero eso no fue todo. No habrían pasado ni cinco minutos cuando se le acercó un señor. Le preguntó si estaba libre el asiento. La chica asintió con la cabeza, a disgusto. Al mismo tiempo, a mi lado se sentó otro hombre. Centroeuropeo.

Una vez hubo despegado el avión, el caballero que estaba junto a mí sacó unas revistas de la bolsa que llevaba consigo. Eran revistas de moda. Abrió un ejemplar y comenzó a romper las hojas. Con mucha fuerza, además. Y así se pasó todo el vuelo. Arrancando páginas y páginas de las revistas. Luego las arrugaba y las tiraba a la bolsa. Todo de un modo muy violento.

Me fue imposible pegar ojo. Temía que aquel hombre me arrancara el cuello con la misma fuerza con la que arrancaba las páginas de la revista.

El señor de al lado de la chica, por el contrario, no calló en todo el vuelo. La atosigaba a preguntas con el ánimo de ligar con ella. Pero la mujer no le hacía gran caso. En una de éstas me miró entre los resquicios de los asientos, como reconociendo que había hecho una mala elección. Aquélla fue la segunda mirada que nos cruzamos, y la última.

La chica hindú recogió sus cosas y se fue a la parte delantera del avión.

No volvimos a coincidir. Nuestras vidas se cruzaron en aquel preciso momento y luego cada cual siguió su camino. Como si fueran dos grandes ríos que casi llegan a tocarse, en algún punto de sus largos meandros, antes de desembocar en diferente mar. Quién sabe lo que habría sucedido si hubiéramos charlado. Conozco una pareja que coincidieron por casualidad en un viaje en el transiberiano y que se casaron al bajar del tren. Diez años después todavía siguen juntos. Algunas coincidencias se diría que obedecen a un destino tan deseado como improbable. Pero no imposible.

La tía Margarita, la hermana de mi madre, nos contaba de pequeños que a mi padre se le perdió el anillo de boda en el mar y que ella lo había encontrado en la tripa de una merluza, en la pila de la cocina, mientras limpiaba el pescado. Aquella casualidad resultaba completamente inadmisible. Que mi padre perdiera el anillo en el mar, que se lo comiera una merluza y que luego la embarcación de mi padre pescara esa misma merluza. Y que entre los cientos de merluzas pescadas, mi padre eligiera para llevar a casa precisamente aquella que se había tragado su anillo de boda. No sé qué probabilidades puede haber de que ocurra algo así, pero estoy seguro de que son infinitesimales. Lo peor es que la tía todavía sigue atestiguando que lo del anillo es cierto, que ocurrió de verdad.

Escribí un poema al hilo de esta historia, titulado «El anillo de oro». Cuando publiqué el poema, ocurrió algo que yo no esperaba. Recibí unos cuantos mensajes electrónicos, enviados desde diferentes sitios, contándome historias parecidas. Todos trataban sobre anillos de oro perdidos que fueron encontrados pasados muchos años, de las formas más increíbles. Algún amigo incluso llegó a llamarme por teléfono para avisarme de que en la película *Big Fish* de Tim Burton, un gran pez también se tragaba un anillo de oro, y que quizás Tim Burton había copiado la historia del poema.

El mensaje más cabal, sin embargo, fue el de Javier

Kaltzakorta, profesor de Literatura Oral de la Universidad de Deusto.

De: Javier Kaltzakorta, kaltzakorta@deustu.edu
A: Kirmen Uribe, kirmen@gmail.com
Fecha: 11-04-2004
Asunto: El anillo de oro

Respecto al relato de tu tía, he de decirte que la historia del anillo de oro es una vieja leyenda extendida por toda Europa. Recordarás, por ejemplo, que el gran Italo Calvino en el libro *Seis propuestas para el próximo milenio*, en su conferencia sobre la rapidez, recoge esta leyenda:

El emperador Carlomagno se enamoró, siendo ya viejo, de una muchacha alemana. Los nobles de la corte estaban muy preocupados porque el soberano, poseído de ardor amoroso y olvidado de la dignidad real, descuidaba los asuntos del Imperio. Cuando la muchacha murió repentinamente, los dignatarios respiraron aliviados, pero por poco tiempo, porque el amor de Carlomagno no había muerto con ella. El emperador, que había hecho llevar a su aposento el cadáver embalsamado, no quería separarse de él.

El arzobispo Turpín, asustado de esta macabra pasión, sospechó un encantamiento y quiso examinar el cadáver. Escondido debajo de la lengua muerta encontró un anillo con una piedra preciosa. No bien el anillo estuvo en manos de Turpín, Carlomagno se apresuró a dar sepultura al cadáver y volcó su amor en la persona del arzobispo. Para escapar de la embarazosa situación, Turpín arrojó el anillo al lago

Constanza. Carlomagno se enamoró del lago Constanza y no quiso alejarse nunca más de sus orillas.

Ésa es la versión de Calvino, recogida en Italia. El eje del cuento es el anillo. Aun así, presenta diferencias con tu variante. El anillo sí, pero el pez no aparece de ningún modo en la de Calvino.

Como consecuencia, diría que Herodoto es la fuente más directa del anillo de oro. Herodoto escribió el libro *Historia* en el siglo V a.C. aproximadamente, y en el mismo recogió muchos elementos de la cultura oral de la época. Entre ellos el cuento del anillo de oro. Éste es:

Había en Grecia un rey de nombre Polícrates. Polícrates vivía feliz y así se lo había comunicado por carta a Amasis, un amigo suyo de Egipto. Polícrates le escribió que vivía feliz, que no tenía preocupaciones, que no le pedía a la vida más que seguir como hasta el momento. Amasis se enfadó con él. Mucho, además. Y le dijo que era una irresponsabilidad decir que era feliz, que eso no crearía sino envidia a su alrededor. Y le dio un consejo, que ser feliz no era suficiente y que había que sufrir. Y para ello, es decir, para sufrir, debía perder la cosa que más quería.

Polícrates quedó pensativo pero finalmente decidió hacer caso a su amigo. Cogió el anillo de oro que le regaló un gran amigo suyo y lo tiró al mar, para saber qué era la pérdida. El anillo se lo comió, sin embargo, un gran pez y un pescador pescó aquel pez. Al pescador le pareció un pez tan grande que se le ocurrió regalárselo a Polícrates, tan buen hombre era Polícrates.

Limpiaron el pez y Polícrates se dio inmediatamente cuenta de que aquél era su anillo, que el destino se lo había devuelto. Y decidió que aquello era un mensaje de los Dioses, que los Dioses querían decirle que no merecía la pena sufrir en vano, que la vida ya de por sí trae consigo sufrimientos y que si era feliz debía seguir siéndolo.

El cuento de Herodoto fue recogido en las vidas de los santos a partir de la Edad Media. La leyenda de San Atilano de Zamora dice que el santo arrojó el anillo al río Duero, dejó su tierra natal y se dirigió a Jerusalén. Quería expiar de esa manera sus pecados de juventud, haciendo penitencia. Creía el santo que si el anillo aparecía en alguna parte ésa sería la señal del Señor. La señal del perdón. Al cabo de unos años, habiendo vuelto a su pueblo natal, le regalaron al santo un pez. En el interior del pez encontró el anillo.

Si, como dices, tu bisabuela Susana era tan religiosa, puede que tu tía oyera a su abuela el cuento, y que lo hubiera leído en las vidas de los santos.

Quién sabe.

Nuestra tía Margarita nació durante la guerra, en 1937. La segunda de cinco hermanas. El nombre también tiene su miga. La abuela llamó a la primera hija Ane Miren, un nombre en euskera, en tiempos de la República. El nombre de la segunda, en cambio, lo dejó en manos de su suegra. Hacía tiempo que estaban enfadadas por razones políticas. La suegra era tradicionalista y nuestra abuela nacionalista. Para apaciguar los ánimos y reconducir las relaciones entre ambas, la abuela le concedió a su suegra que eligiera ella el nombre de la niña. La suegra, sin embargo, en vez de perdonarla se vengó. Le puso Margarita, el nombre de la asociación de mujeres tradicionalistas, para fastidiar a la abuela. Y así fue cómo la tía se quedó con Margarita para siempre.

Su generación es, quizás, la que más cambios ha vivido. Crecieron en la estrecha y mojigata sociedad de la posguerra y tuvieron que asimilar acto seguido las ideas de la revolución del 68. Mi propia madre me suele decir más de una vez que en pocos meses pasaron de rezar en los grupos cristianos a hacerse marxistas. No fue un cambio convencional. De la noche a la mañana, todo lo anterior no valía para nada.

Pero en su interior coexistían los dos mundos vivamente. Por eso mismo, a pesar de ser la representante sindical de la fábrica de conservas, ella misma se encargaba de poner el nacimiento en Navidad; ella también nos llevaba a pie a la ermita de La Antigua y nos contaba que una de las imágenes de la ermita, la del Nazareno, era milagrosa. La imagen del Nazareno se hallaba en una vitrina de vidrio bajo el coro de la iglesia de La Antigua. La tía nos aseguraba que si besabas la vitrina con la mano te volvías más listo. Y así, cuando tenía un examen, me llevaba allí a que besara el cristal con la mano, aunque a mí ni tan siquiera me habían bautizado. Y de igual manera yo mismo, tanto en el instituto como en la universidad, cuando me agobiaba con los exámenes, he continuado con aquella costumbre.

No sé si la tía creía de veras en aquellos poderes extraordinarios del Nazareno, como tampoco sé si atestiguaba en serio lo del anillo de mi padre en la tripa de la merluza. No sé si en realidad creía en casualidades tan asombrosas. Lo más seguro es que no. Pero me da igual. Lo más importante son las historias, sean verdad o mentira, o las dos cosas.

8

UN CHAVAL DE CATORCE AÑOS

Un mes después de la cita con Carmen Bastida me llegó un paquete a casa. Me lo enviaba la propia Carmen. Dentro había un cuaderno de espiral. En la portada del cuaderno se leía: «Mi viaje al Congreso Eucarístico de Chicago. Junio y julio de 1926.»

Aquél era el diario del joven Ricardo Bastida, hijo del arquitecto. Era una libreta de bolsillo, de dieciséis centímetros de largo y diez de ancho, con las pastas de cartulina y las hojas del interior a rayas horizontales. El propio Ricardo había numerado las páginas, ochenta y seis en total, de las cuales había escrito en ochenta y cuatro. La caligrafía de Bastida era la de un chaval de catorce años.

Probablemente Carmen había notado durante la visita que la mención del diario del joven Ricardo había despertado mi interés, aunque yo guardara silencio y no me atreviera a pedirlo por respeto a su intimidad.

Y, mira por dónde, sin decir yo nada, semanas más tarde la propia Carmen lo ponía a mi disposición. Adjuntaba también una pequeña nota: «Son cosas de niños, pero por si acaso. Carmen.»

Mientras aún espero junto a la puerta de embarque A32 la llamada a los pasajeros, he sacado de la bolsa el diario del joven Ricardo. El mismo viaje transoceánico que emprendo hoy en avión, lo hizo él ochenta y dos años antes en barco.

El diario comienza el 3 de junio de 1926: «Antes de empezar el viaje, el día 3 de junio, que es la fiesta del Corpus Christi, he comulgado en la iglesia de Ondarroa, y he pedido a Dios gracias para que nos ayude a hacer un buen viaje, y de mucho provecho.» Ésa es la primera frase.

Después cuenta que aquel día lo pasaron en San Sebastián. Se despidieron de su madre y de su hermano Juan Luis y fueron en tren hasta Hendaya. Juan Luis también tenía que haber viajado a Estados Unidos, pero no logró tan buenas notas como Ricardo durante el curso y se quedó en casa. Ricardo, en cambio, sí sacó matrículas en todo.

En Hendaya, el arquitecto y su hijo visitaron a Unamuno. El joven Ricardo lo describe de este modo: «Papá ha hablado con un señor que se llama don Miguel de Unamuno que está desterrado por hablar mal del rey y de Primo de Rivera.»

No añade ni una palabra más al respecto. Quizás el joven no sabía quién era aquel dichoso escritor. Su padre le pediría que escribiera algo sobre un señor muy importante llamado Unamuno y él le dedicaría ese breve apunte.

Como bien anotó Ricardo, el escritor Miguel de Unamuno estaba desterrado en Hendaya. De aquella época data su obra *Cómo se escribe una novela*. En un pasaje del libro, Unamuno habla de las visitas procedentes del País Vasco. Cuenta que los amigos le preguntaban por el fin de la dictadura. Y que su respuesta era siempre ésta: «¿Que cuánto durará esto? ¡Lo que ustedes quieran!»

Antes de ir a Hendaya, el joven Ricardo, su hermano Juan Luis y los padres subieron al parque de atracciones de Igeldo. Allí lo pasaron muy bien antes de la despedida final en la estación de Atotxa. En el diario Ricardo expresa su tristeza por la separación.

Nosotros también, cuando éramos pequeños, solíamos ir de excursión a Igeldo. Una vez nos montamos en una pequeña barca y nuestro padre nos enseñó a remar. En una de éstas, un hombre que andaba por allí se acercó y le preguntó a mi padre: «¿Tú no serás por casualidad José Uribe?»

Mi padre se quedó atónito porque no había visto a aquel hombre en su vida. «Te he conocido por la voz», le aclaró, «yo también soy patrón de pesca y he reconocido tu voz de la radio del barco». En las embarcaciones los patrones se espiaban unos a otros a través de las emisoras para averiguar la ubicación de los caladeros.

He proseguido con el diario de Ricardo.

Día 4 de junio

Estamos en París. He visto la tumba de Napoleón, un panorama muy hermoso de la gran guerra, que parecía en algunos sitios que no estaba pintado, que parecían esculturas, y después de ver muchas cosas más he subido con papá al tercer piso de la torre Eiffel; desde allí hay una vista magnífica pero no me daba miedo mirar hacia abajo; he echado un aeroplano de papel desde la punta de la torre.

He levantado la vista y la he dirigido de nuevo a los ventanales. Afuera los carros transportan el equipaje y lo introducen en el avión por medio de rampas. Entre cientos de maletas he buscado la mía. Imposible.

Por fin han anunciado el vuelo. Primero deben entrar los de las primeras filas. Mi asiento es el 49 C. Así que tendré que esperar.

Día 6 de junio

En Cherburgo hemos embarcado en el transatlántico. El vapor Aquitania *por dentro es como un pueblo entero, mucho más grande que el hotel Palace de Madrid, con cerca de mil personas entre marineros y criados, con salones magníficos, con galerías de paseos tan largos que se cansa uno de correr; muchas veces tocan la música o la orquesta, hay piscina para nadar, salón de gimnasia con muchos ejercicios y en el piso de los botes hay muchos juegos sencillos y divertidos que tenemos que poner en Ondarroa este verano.*

Ha llegado el turno de las filas traseras. He hecho cola y he entrado en el avión. Los miembros de la tripulación me han saludado. *Gutten Abend*. La cabina parece nueva, recién estrenada. Un Airbus 340-600. Cabrán más de trescientas plazas y se distingue porque ofrece más espacio entre las hileras de asientos. Me he fijado que los servicios no se hallan en el sitio habitual, sino en un piso inferior, al que se accede a través de unas escalerillas. He llegado a mi asiento. 49 C.

Al lado del pasillo.

He sacado el cuaderno de Bastida y he depositado la bolsa en el compartimento superior. He continuado con la lectura.

Día 7 de junio

> *La hora. Al embarcar en Cherburgo atrasamos el reloj para tener la hora solar y luego cada noche se retrasa en el vapor el reloj 50 minutos; así al llegar a Nueva York, como pasaremos 6 noches, habremos atrasado el reloj $6 \times 50 = 300$ minutos, o sea las 5 horas de diferencia de meridiano.*
>
> *El cine a bordo. A las cinco de la tarde hemos tenido cine en uno de los salones del vapor; ha sido una película muy aburrida pero estos norteamericanos se reían como unos niños.*

Sabía que el joven Bastida sacaba matrícula de honor en matemáticas, y resulta curioso comprobar las cosas que apuntaba en su cuaderno. El cambio de horario, por ejemplo. A su edad ya le llaman la atención esos aspectos científicos relacionados con el tiempo. El mundo es inmenso e inexplorado a los catorce años. Ricardo observa la vida cotidiana del transatlántico con curiosidad e inteligencia. Registra todos los detalles. El riego diario de los botes de salvamento para que se hinche la madera y no se hundan en caso de emergencia. El aspecto de las mujeres con el pelo corto y gafas. El nombre y la reseña de quienes los acompañan al Congreso Eucarístico de Chicago. «Monseñor Leiper, fue presidente del consejo de ministros de Austria; se pasa casi todo el día escribiendo; tiene en el pecho la bala de un atentado.»

Bastida menciona las cinco horas de diferencia entre Cherburgo y Nueva York. Hoy en día son seis. Lo que ellos hicieron en seis días, nosotros lo haremos en siete horas y media. En la pantalla incluida en el respaldo del asiento anterior aparecen los detalles del vuelo.

```
Distance to Destination: 3.800 miles
Time to destination: 7.30 hours
Local Time: 11.42 AM
Ground Speed: 0 mph
Altitude: 0
Outside air temperature: 59° F
```

El avión se llena finalmente. Al otro lado del pasillo
se ha sentado un hombre bastante gordo. En los asientos
de delante, en cambio, un grupo de jóvenes. Parecen del
norte de Europa a juzgar por sus camisetas. En los nikis
de los tres muchachos se lee «North Sea Jazz Festival. Rot-
terdam». Formarán un grupo de música.

Día 8 de junio

*Hemos visto en el vapor los locales de 2.ª y de
3.ª clase; están muy bien pero en los de 3.ª había mal
olor y mucho ruido.*

*He visto unos delfines que querían alcanzar al
vapor. También un pájaro como una golondrina
grande que estaría a unas mil quinientas millas de
tierra.*

He sentido curiosidad por la especie de pájaro avista-
do. Quizás un cormorán.

El cormorán es un ave acuática muy especial. En la
época invernal se acerca a los acantilados del mar Cantábrico. Se le llama también cuervo marino, porque es muy
negro. Es conocido por su largo cuello. A decir verdad, y
según los pescadores, durante muchos años este pájaro
ha desaparecido de nuestras costas, debido, parece ser, a
la contaminación del mar Cantábrico.

El cormorán vive en Irlanda y Escocia y el frío del invierno lo trae hasta nosotros. Es una especie protegida. En la costa vasca no vivirán más de setenta parejas, como mucho. Por lo general son monógamas y conservan la misma pareja durante toda la vida.

Hasta hace unos años no me enteré de cómo llamaban en Ondarroa al cormorán. Nerea decía que le llamaban «sakillu», o al menos así lo denominaban los chicos del pueblo. El cormorán permanece mucho tiempo debajo del agua y cuando se sumerge los niños juegan a acertar cuándo saldrá. Nerea contaba que los niños gritaban «sakillu, sakillu» cuando emergía de nuevo.

Pero yo sospechaba que aquella era otra especie. No nos poníamos de acuerdo Nerea y yo. Al final, para aclarar las dudas, recurrí al *Diccionario de los pescadores vizcaínos* de Eneko Barrutia.

> **Sakillo-sakillu** (O-b), **Sakilluk** (O-b)
> Def: Iz. Phalacrocorax Aristotelis, cast. Cormorán
> Test.: O-b: vuelan muy cerca del agua.

De nuevo, una vez más, tenía razón Nerea: al cormorán se le llama «sakillu».

Pero ahí no acaba la historia. Me preguntaba a mí mismo por el significado de las siglas (O-b). Repasé el apartado de las abreviaturas del diccionario.

O-b = Ondarroa, Boni Laka

Cuando leí esto me quedé de piedra y triste, porque Boni Laka era mi tío. El tío Boni. Él fue quien informó a Barrutia de que al cormorán se le llamaba «sakillu».

Y yo ni lo sospechaba siquiera.

En la primavera del 2006 acordé una cita con Eneko Barrutia tras una conferencia que ofrecí en Bilbao, «Las rosas de Agirre». Cuando acabó el acto me entregó un CD.

«Son las grabaciones que le hice a tu tío para el diccionario.»

En la portada del CD ponía «Boni Laka Iturriza, 31-1-1997». El tío Boni era el marido de Ane, la hermana mayor de mi madre. Fue patrón de bajura toda su vida. Su barco se llamaba *Bizkargi*. Me acuerdo muy bien de aquella embarcación, pintada de rojo, verde y blanco. El tío quiso pintarlo así aun cuando esos colores estaban prohibidos. Aunque los franquistas lo denunciaran y lo obligaran a pintarlo de nuevo.

El tío y *Bizkargi* eran uno. Cuando él enfermó y quedó postrado en cama, el barco también se averió para siempre. Una barcaza de hierro chocó contra el viejo *Bizkargi* de madera, mientras permanecía atado en el puerto. No pudieron arreglar el estropicio. Los dos dejaron a la vez de navegar, el tío y el barco.

No escuché la cinta inmediatamente. Me daba respeto, como cuando nos encontramos con algún familiar al que llevamos mucho tiempo sin ver. Al cabo de unos días, metí el CD en el iBook y escuché la primera pista. Me asombró que la voz no fuera la misma que durante su enfermedad. Era una voz vigorosa, propia de un hombre fuerte.

Uno de los últimos recuerdos que guardo del tío es el siguiente. Lo mandaron del hospital a casa, alegando que le quedaban pocos meses de vida. En casa vimos juntos un partido de pelota en la tele. A pesar de que el resto mirábamos a la pantalla, el tío era el único que no la atendía. Se dedicó todo el partido a mirarnos a nosotros, sin hacer caso al juego de los pelotaris. En lugar de ver la televisión nos miraba a nosotros.

En las entrevistas que se realizan para confeccionar un diccionario es indispensable en primer lugar que el entrevistado esté relajado. Se le debe olvidar que alguien está grabando su voz. Y, con ese fin, las primeras preguntas suelen ser fáciles, de respuestas amenas. Por ejemplo, se le pregunta cuándo y dónde nació.

Eso hizo el profesor Barrutia con mi tío. Le preguntó qué día nació y cuándo fue su primera salida a la mar. El tío le contestó que en setiembre de 1928, que la guerra empezó cuando él sólo tenía ocho años y que no pudo ir a la escuela. Él y su hermano eran los más pequeños de la casa cuando el padre y el hermano mayor huyeron del pueblo porque eran nacionalistas. Parece ser que se marcharon a Bermeo y que pescaron para los combatientes en un barco que se llamaba *Aita gurea*. Cuando acabó la guerra y volvieron a Ondarroa, los juzgaron y los desterraron, y el padre pasó muchos años en Pasajes trabajando en labores de arrastre.

Más adelante en la grabación pronuncia una frase que solía soltar en vida de vez en cuando, «antes el mar estaba lleno de peces, ahora de agua». Es una frase que, sin duda, describe la decadencia de la pesca. Habrá técnica pero no hay peces, porque se ha pescado demasiado. El tío asegura que en otro tiempo se pescaba con la vista. Se notaba en la superficie del agua dónde estaba el pez, ya fuera por la espuma o por el brillo. Luego llegaron las máquinas.

Cómo se hace un diccionario. Muchas veces me lo he preguntado. En la grabación se aprecia con claridad la técnica de Barrutia. El profesor enuncia una palabra, la mayor parte de las veces en castellano, y el tío la traduce al euskera del pueblo. Por ejemplo, cuando le pregunta «sotavento», el tío responde «haixebekaldi», y, si le dice «barlovento», entonces «haixekaldi».

Mi tío menciona en el CD muchas palabras que yo no he oído ni una sola vez, palabras de un vocabulario perdido, como «sakillu», por ejemplo.

Pero ése no es todo el proceso. El investigador, después de pedirle que traduzca el término, pide al entrevistado que ponga delante de esa palabra el número tres, «hiru» en euskera. Es decir, si le pregunta cómo se dice «vela», el tío responde «beli».

«¿Y si ponemos tres por delante?»

«Hiru bela.»

Y así con un montón de palabras. Y cuando Barrutia le pide que traduzca «viento norte», el tío dice «haize franku». Entonces surgen los líos. «¿Cómo dirías tres vientos…?», pregunta Barrutia y, automáticamente, el tío tiene una de sus salidas: «¡Tres vientos norte no se puede decir, hombre, que el viento es sólo uno!»

En el CD están grabadas las risas de los dos.

«¿Por qué me pides que ponga tres todo el rato?», le pregunta a continuación.

«Sí, sé que es raro, pero necesito saber las palabras sin artículos. En euskera las palabras siempre acaban con a, que es el artículo. Pero si quiero saber la raíz de la palabra te pido que pongas hiru por delante y ya está.» Barrutia trata de explicarle el motivo, pero no tiene éxito. «Bien, bien», le dice el tío, sin mucho convencimiento.

Cuando le pide que traduzca la palabra «pulpo», el tío dice «olagarru», y a continuación le reta a Barrutia, «y en Bermeo, ¿sabes cómo dicen en Bermeo pulpo?». «Amarratza», replica el profesor. «Eso es, amarratza, diez dedos, a pesar de que el pulpo tiene ocho pies.»

«En Bermeo son diferentes muchas palabras», prosigue el tío. «Ellos dicen *atun txoixak*, pájaros del atún, nosotros no. Nosotros a los pájaros del atún les llamamos martines. Son muy sabrosos en salsa. Mejor estaríamos nosotros comiéndonos unos martines en lugar de haciendo esta entrevista.»

Martín. Bien pensado, sería un martín en vez de un cormorán lo que avistó el joven Bastida a mil quinientas millas de la costa. Porque el martín es el pájaro que más se aleja del litoral.

9

COMO UN PEZ VOLADOR

Al acordarme del tío Boni me he distraído de la lectura del diario de Bastida. He pasado de página pero no recuerdo nada de lo leído. Decido releer el último párrafo.

Día 10 de junio

> *El capitán del vapor es un hombrachón de aspecto muy simpático, bastante gordo, sin barba ni bigote, con el cabello cano. El mozo del ascensor es además músico de la banda del vapor, y él solo toca casi tantos instrumentos como todos los demás juntos; pues toca el bombo, el tambor, los platillos de pie, los platillos de mano, los hierrillos, las tabletas y las castañuelas. A la vez toca hasta cuatro de esos instrumentos. Además ha estado en la guerra de África y me ha enseñado varias heridas que le hicieron allí y tiene varias condecoraciones. Es un hacha.*

El comandante ha saludado a los pasajeros en alemán y en inglés y ha anunciado el inminente despegue. Me lo he imaginado como el capitán del diario de Bastida, bastante gordo, sin barba ni bigote, con el cabello cano. No sé por qué. Después se me ha ido el santo al cielo y me he acordado del capitán Manuel Aierdi, quien dio clase a mi padre en la escuela de pesca del pueblo a principios de los sesenta. Hasta entonces no hubo escuela de este tipo, los estudios de Náutica se hacían en Lekeitio.

Un cura llamado don Emilio le recomendó a mi madre, incluso después de prometida, que se fuera a servir a Vitoria y se casara con uno del interior, con algún militar o así. Que si se casaba con un pescador del pueblo sólo conocería penurias. «En toda tu vida no vas a comer más que chicharrillos.» Cuando mi padre se enteró, prometió a mi madre que no pasaría ninguna estrechez porque él obtendría el título de patrón de altura.

«Si no vas a tener tiempo de estudiar, saliendo en bajura.»

«Estudiaré en invierno, cuando los barcos se quedan en el puerto.» En la cuadrilla de mi padre muy pocos amigos tenían estudios. Uno de ellos ayudó al resto en la preparación de los exámenes durante los meses de invierno y de esa manera consiguió que los aprobaran. Se reunían en la sidrería Antzomendi, camino de Lekeitio, y allí estudiaban todos los amigos juntos. Al cabo de un tiempo, mi padre llamó a mi madre por teléfono y le pidió que bajara a la plaza.

«Toma, aquí tienes lo que te prometí. Comerás chicharrillos, pero sólo cuando tú quieras.»

Era el título de patrón de altura.

Este verano una pareja entrada en años me pararon en la calle y se presentaron. «Yo soy Tere la del mirador. Había tres Teres en el pueblo y a mí me pusieron la del mirador.» No le quise preguntar más sobre el apodo, ni cuál en concreto era aquel mirador. Pero el mote me pareció muy bonito. *Tere Miradoreku.*

Su marido, Tomás Santos, me explicó que había navegado con mi padre y también con el abuelo Liborio. Liborio debía de ser muy buen contador de historias y de pequeño iban a escucharle a su casa de la calle Iparkale. Él organizaba también, con la ayuda de los niños, las hogueras de San Juan. De la abuela Ana me contó que una vez le regaló un cachorro de perro y que no olvidaría nunca aquel detalle.

Tomás me confesó que solía llevar consigo a la calle una fotografía con la intención de dármela, pero que nunca me encontraba. Me enseñó la imagen. Era de la década de los sesenta, en blanco y negro. En ella aparecían los que aprobaron el curso en la escuela de pesca. El capitán en el medio, a su alrededor veintisiete alumnos. Nuestro padre está en la segunda fila, muy joven. Lo acompañan, a un lado, Tomás, y al otro, un viejo amigo, Jon Akarregi.

«¿Ves cuántos éramos entonces en la escuela?» Se lamentó Tomás señalándome la foto. «Pues hoy en día no hay ni uno solo estudiando para patrón.»

El apego al mar se ha ido perdiendo muy deprisa. La gente de la generación de mi padre estaba deseando cumplir los catorce años para ir a la mar. Si eran más jóvenes se subían a los barcos y se escondían entre las redes y cuando la embarcación navegaba ya lejos salían de sus escondites.

Nuestro padre, sin embargo, no quiso que ninguno de nosotros fuera marino. Teníamos que estudiar y ganarnos la vida en tierra; ése era nuestro cometido. Y así, de los cuatro hermanos, yo soy el único que vive en el pueblo. De entre los abuelos y los tíos por parte de padre y madre casi todos han sido gente de mar. Pero de entre los primos sólo uno, Iñaki, eligió la pesca.

El primo es un hombre callado, como la mayoría de los pescadores, y tiene la mirada serena, en unos ojos que recuerdan el azul del mar en setiembre. Habla poco pero cuando lo hace le brotan perlas de la boca.

Como cuando, en el 2002, ocurrió lo del petrolero *Prestige*. El barco que se dirigía desde Letonia a Gibraltar sufrió una avería en la costa gallega y vertió al mar sesenta y tres mil toneladas de fuel. La mancha se extendió inmediatamente por todo el mar Cantábrico.

Los pescadores decidieron que lo mejor era recoger el fuel en alta mar, antes de que llegara a la costa, y zarparon con los barcos de bajura. Recogían en la borda el chapapote con las manos, como el atún, de uno en uno. Salvo que entre el chapapote y el atún hay una gran diferencia.

«El hedor del chapapote tarda mucho en quitarse. No creo que haya nada en el mundo que huela tan mal. Parecía que el mar estaba enfermo, aquejado por un síndrome muy grave o así», nos explicó el primo en casa.

«Uno de a bordo, Álvaro, peruano de nacimiento, nos contó lo que vio una vez en su pueblo cuando era pequeño. En aquella época vivían en el monte, en una chabola, y cuidaban en su casa de tres o cuatro ovejas. Una noche de tormenta, los gritos de una oveja los despertaron. La oveja estaba preñada y no podía parir. Solamente tenía fuera las patas del cordero, sin poder echar ni para adelante ni para atrás. El padre de Álvaro tiró de las patas y consiguió sacar dos corderos. Nacieron muertos. Pues a Álvaro el chapapote le recordaba a ese hedor.»

Hedor de corderos muertos en el mar. Resulta curioso lo de los corderos, porque, de pequeños, cuando el viento levantaba la espuma de las olas y se veían zonas blancas, nos decían que ésas eran «las ovejas del mar».

La mar estaba en calma cuando los Bastida llegaron a Nueva York, entonces no había ovejas en el mar.

Día 11 de junio

La entrada en Nueva York ha sido magnífica, con un día de sol espléndido, entre muchos vapores y vaporcitos de todos los tamaños; entre ellos había algunos de los que llevan pasajeros por el río Hudson, otros que llevaban gabarrones con trenes, algunos barcos de guerra, etc.

Hemos desembarcado todos y hemos venido al hotel McAlpin que es el segundo del mundo, tiene 26 pisos y costó 13 millones de dólares. En el hotel nos dan todos los días el periódico La prensa, *escrito en español; hay agujas con hilo blanco y negro, alfileres, botones, atabotones, calzador y teléfono. Pero no hay orinal, utilizamos el retrete del cuarto de baño.*

El hotel McAlpin no existe hoy en día. Hubo una época en que fue el hotel más lujoso de Nueva York. Pero en la década de los ochenta entró en decadencia. El ayuntamiento alquilaba las habitaciones para alojar a los *homeless*. Hoy son apartamentos.

Bastida cuenta que en Nueva York subieron al edificio más alto del mundo, al piso cincuenta y ocho del Woolworth. Todavía no se había construido el famoso Empire State. De todos modos, en Nueva York ya se había propagado la fiebre por los rascacielos. El elegante Woolworth es un ejemplo de esa fiebre. Construido en 1911, es uno de los primeros rascacielos de la ciudad.

Los Bastida cruzaron a pie el puente de Brooklyn, de un extremo al otro. Antes de alcanzar su destino, Chicago, donde se celebraba el congreso, recorrieron buena parte del país. Conocieron las cataratas del Niágara, y el capitolio de Washington. Por el camino se dejaron caer por el matadero de Armour, el más grande del mundo. «Es la cosa más espantosa que he visto, se matan allí al día 3.000 bueyes, 24.000 ovejas y 48.000 cerdos; el que degüella los cerdos es un solo tío y los corta con un hacha de un hachazo.»

En Detroit visitaron una fábrica de la Ford.

Día 18 de junio

Esta mañana hemos visto una de las fábricas de Ford; me ha gustado muchísimo, todos los talleres son inmensos, nos han dicho que trabajan 65.000 obreros. No hemos visto allí ninguna mujer obrera, pero sí muchos viejitos que se ocupaban de trabajos sencillos. Parecían ocupados por caridad. Dentro de los talleres hay puestos de refrescos y golosinas para los obreros; los lavabos tienen encima duchas para que los obreros puedan lavarse la cabeza. Aquello es un mundo de trabajo y todo está admirablemente ordenado y como cada obrero no hace más que una sola cosa sencilla, la hace muy bien y muy rápidamente, por eso los Ford son baratos.

En el hotel como en los otros sitios, los que van en los ascensores se descubren cuando está alguna señora; pero hoy hemos visto que todos estaban cubiertos aunque bajaba una señora, y es que ésta era negra. Papá y yo nos hemos descubierto pero los demás no.

Una mujer afroamericana de unos sesenta años se ha aproximado y me ha indicado que el asiento junto a la ventana es el suyo. Por un momento he pensado que ese asiento quedaría libre, y que haría solo el viaje. Pero no. Me he levantado y he salido al pasillo para dejar que la mujer entrara. La he mirado y he sonreído. Ella ha hecho lo mismo.

Han cerrado las puertas. El avión comienza a moverse. Las azafatas del avión comprueban si llevamos el cinturón abrochado. En la pantalla que tengo delante explican las medidas de seguridad. Acto seguido, se proyectan las imágenes tomadas por la cámara exterior del avión. Se ve claramente cómo avanzamos hacia la pista de despegue.

Hasta que el avión se detiene tras la curva de acceso. Las azafatas se sientan en sus sitios. Apagan las luces. El motor atruena. El avión acelera. La cámara enfoca la pista. Se aprecia el vertiginoso aumento de la velocidad. Por fin despega el avión. Nubes. Se apaga la cámara.

Me acuerdo de los más cercanos en el momento en el que el avión despega. Sé que es una niñería, pero me entra miedo hasta lo más hondo. Y dudo de mí mismo:

¿Los habré cuidado lo suficiente?

Hace cuatro años o así, cuando vivía en Vitoria, fui testigo de un suceso grave. Era un sábado por la noche y había salido de fiesta. Me dirigía de un bar a otro cuando, entre los coches aparcados, vi a una pareja. Al principio ni me di cuenta, porque estaba muy oscuro. Pero los gritos de la mujer me alertaron. La pareja discutía con virulencia. Al verme, el hombre le quitó unas llaves a la mujer y se largó.

«Volverás», le amenazaba. «Volverás.»

Me acerqué a la mujer para ver si se encontraba bien. Cuando se tranquilizó un poco me contó que ése era su marido. Y que iban a separarse.

Yo no podía mantener la mirada. Aquella mujer tenía los ojos llorosos. Bajé los míos y entonces me di cuenta de que estaba descalza. El marido le había quitado también los zapatos.

No puedo olvidar los pies de aquella mujer sobre el asfalto. Desnudos, como si hubiera sido condenada a muerte, como tras un grave accidente de tráfico.

«Volverás», le gritó el hombre, pero cómo iba a volver sin zapatos, descalza.

Esa misma noche me pregunté si me portaba bien con los que me querían. Si no iría mi vida cuesta abajo, sin darme cuenta.

Han encendido las luces. El dispositivo que ordena abrochar los cinturones se ha apagado. El avión ha virado hacia el mar, para cruzar el Atlántico. Me quedan pocas páginas para acabar el diario.

> *Día 30 de junio al 6 de julio*
>
> *He visto muchos peces voladores, que son poco mayores que sardinas, con alas; a veces sólo sale uno del agua, vuela y se vuelve a meter. Otras veces sale una bandada, y después de volar se meten todos a un tiempo. Los vuelos no suelen ser ordinariamente más que de unos 100 metros, casi siempre en línea recta, pero a veces en curva. También hemos visto una ballena por el lado de babor; la parte que se veía sobre el agua tendría unos 10 o 12 metros.*
>
> *Al acercarnos a Europa vamos viendo muchos vapores. Hemos pasado a dos transatlánticos. Uno de ellos muy grande.*

Así acaba el diario del joven Bastida. Por la ventanilla de la cabina puedo ver el sol rojo del atardecer. El ala del avión brilla, como un pez volador.

10

DUBLÍN

> Distance to Destination: 3.169 miles
>
> Time to destination: 6.06 hours
>
> Local Time: 01.08 PM
>
> Ground Speed: 544 mph
>
> Altitude: 35.000
>
> Outside air temperature: –72° F
>
> St. Kilda, Londonderry, Donegal

—Perdona mi atrevimiento, pero ¿te puedo preguntar qué has estado leyendo? —me ha dicho por sorpresa la mujer que está a mi lado.

—Es un diario.

—Parece antiguo.

—Sí. Lo escribió en 1926 un chaval de catorce años.

—¿Era de tu abuelo?

—No, qué va. Era del hijo de un arquitecto de aquella época. Realizó con su padre un viaje de Europa a Estados Unidos y éste es el diario de aquel viaje.

—¡Qué interesante! ¿Y cómo ha llegado a tus manos?

—Bueno… Soy escritor y me documento para escribir una novela.

—¡Un escritor! —ha exclamado—. Yo trabajo entre libros. Perdona, no me he presentado. Soy Renata Thomas. Bueno, Renata Violet Thomas. Violet me lo pusieron por una abuela. Debía de ser la mujer más bella de Carolina del Sur.

—Kirmen Uribe. Encantado.

—Kirmen. ¿En qué idioma está ese nombre?

—En euskera.

—¿De verdad? Es lo primero que escucho en euskera. ¿Y cómo así por Nueva York?

—Tengo un amigo que es profesor de la Universidad de Nueva York, Mark Rudman. Él da clases de poesía y me ha invitado a dar una conferencia.

—¿Sobre poesía? Oh, yo soy muy mala lectora de poesía…

—Bueno, no es sólo sobre poesía. La he titulado «Las lápidas de Käsmu». ¿Conoces Käsmu? —ha negado con la cabeza—. Es un pequeño pueblo de Estonia, a orillas del Báltico. En su día nos reunimos escritores de siete lenguas europeas distintas, y de ahí surgió la idea… Y a ti, ¿qué te ha traído a Europa?

—Mi padre. Durante la Segunda Guerra Mundial fue soldado en Italia. Quería conocer los sitios donde estuvo. Ya sabes, conocer los sitios de los nombres que escuchábamos de pequeñas mi hermana y yo —ha hecho una pausa y ha continuado más seria—. He estado en el cementerio de Certosa, a diez kilómetros de Florencia. Allí están enterrados cuatro mil quinientos soldados americanos. ¡Es impresionante!

—Nuestra abuela hablaba a menudo de los soldados italianos —he comentado quizá sin venir demasiado a cuento—. Durante la Guerra Civil Española el frente nacional cercó nuestro pueblo durante seis meses. Los hombres del pueblo escaparon en barcos hacia la zona de Bilbao, por miedo. La abuela se quedó sola. El caso es que los soldados italianos entraron en el pueblo y persiguieron a las mujeres.

—¿A tu abuela también?

—Los que podían sí. La abuela tenía mucho genio y les enseñaba el hacha por la ventana.

—Me gusta tu abuela.

—De todos modos, hubo gente que lo pasó muy mal. Hay una canción que habla de ello. ¿Te la canto? No canto muy bien, pero dice así:

Turubik Dauke, Turubik Dauke
ume txiki-txiki-txikixe
eta baltx-baltxa, eta baltx-batxa
italiano txikixe.

(Toribia tiene, Toribia tiene
un niño chiquitín-chiquitín;
y muy-muy negro, y muy-muy negro,
italiano chiquitín.)

—Tuvo que ser muy duro para aquella mujer.

—Ya sabes. Cosas de pueblos pequeños —y he levantado ligeramente los hombros. Nos hemos mirado con cierta simpatía pero sin saber qué decir. En nuestras respectivas pantallas ha comenzado la emisión de anuncios promocionales de la compañía. A Renata le han interesado. Yo poco a poco me he sumido de nuevo en mis recuerdos y meditaciones.

Una vez iniciado el mural del seminario de Logroño, Arteta le regaló los bocetos a Bastida. Primero dibujaba en papel lo que luego pintaría sobre la pared; primero esbozaba en pequeño lo que luego debía hacer en grande. El arquitecto se quedó con muchos de esos bocetos de su amigo.

A Bastida le gustaba enviarle algunas de esas pinturas de Arteta al político socialista Indalecio Prieto. Preferentemente imágenes de la Virgen, religiosas. Sabía que Prieto era agnóstico y que no creía en esas cosas, pero por eso mismo se las mandaba. «Como sé que te gusta mucho el trabajo de Arteta, te envío este cuadro para tu deleite.» De este tono afable y burlón solían ser las palabras de sus cartas.

Eran la clase de bromas entre un monárquico y un socialista. A Prieto le hacía gracia el empeño que Bastida puso durante toda su vida para que él se volviera creyente. Estimaba de verdad su esfuerzo y, sobre todo, estimaba al arquitecto. «Ninguna afinidad ideológica nos unía: él, católico fervoroso; yo, incrédulo recalcitrante. ¿Cuántos años llevaba Bastida procurando que yo abrazara sus ideas religiosas? Más de treinta, desde que en 1916 empezamos a tratarnos, siendo él arquitecto de Bilbao y yo concejal de la Villa. Nunca me enojó su constante labor de catequesis y siempre se lo agradecí. ¡Era tal su ternura!», escribe Prieto en sus memorias.

Cuando Prieto hubo de exiliarse por primera vez, como consecuencia de la huelga de 1917, parece ser que Bastida lo puso en contacto con un pescador de Ondarroa para que lo sacara de Bilbao y lo llevara hasta San Juan de Luz.

Sin embargo, lo que debería haber sido un episodio heroico se convirtió en una comedia. Salieron de Bilbao, sí, pero cuando era tarde. De hecho la primera vez que quedaron, el pescador ni siquiera se presentó. A la segunda, por fin, apareció, pero con retraso.

Sebastián Bakeriza, el supuesto salvador de Prieto, arribó a Bilbao en una pequeña chalupa. Llevaba a bordo como único tripulante a su suegro, un viejo pescador. El suegro de Bakeriza sólo sabía euskera, y el propio Bakeriza a duras penas hablaba castellano. Prieto, sin embargo, no sabía ni una palabra de euskera.

Ocultaron a Prieto en la bodega del barco y allí permaneció entre las redes largo tiempo. Desfallecido, con dolor de espalda, Prieto levantó la trampilla de la bodega y sacó la cabeza. A lo lejos vio un faro. Como llevaba horas y horas escondido, preguntó a los pescadores si aquella luz era la de Matxitxako. Sebastián le respondió que no, que era la de la Galea. «¡Cómo Punta Galea!, ¡todavía no hemos salido de la ría de Bilbao!»

El motor del barco se había ahogado y no podían salir del Abra. Lo peor, sin embargo, era que estaban medio parados. Debían llegar a tierra como fuera, y dejar la huida para otra ocasión.

Prieto aconsejó a los Bakeriza que regresaran a Bilbao. Sebastián le replicó que no conocía el puerto de Bilbao y que no sabía cómo entrar.

Y de esta manera, guiados por el propio Prieto, alcanzaron la zona de Mazarredo y desde ahí saltó el político a tierra, justo en frente de la sede del periódico *El Liberal*. Tuvo que saltar con mucha precaución, porque la sede del periódico se hallaba junto a una comisaría.

Al final, Prieto consiguió huir a San Juan de Luz en un buque de carga. Pero en aquella aventura de cuatro horas, Prieto y Bakeriza se hicieron buenos amigos.

Tan buenos que, al cabo de unos años, Bakeriza, junto al alcalde de Ondarroa, acudió en su ayuda a Madrid, donde Prieto dirigía el Ministerio de Urbanismo. Querían pedirle al nuevo ministro que renovara el puerto de Ondarroa, ya que la bocana era muy peligrosa.

Bakeriza y el alcalde se plantaron ante la puerta del ministerio y solicitaron audiencia. Aseguraban que debían ver a Prieto lo antes posible. Pero los porteros, al verles la pinta, desconfiaron y les negaron la entrada. Bakeriza se rebeló e insistió en que él no se movía sin ver a su gran amigo Prieto. Los porteros se oponían y le conminaban a que se marchara de allí, pero Bakeriza porfiaba. Finalmente el propio Indalecio Prieto, alarmado por los gritos y las disputas, salió de su despacho en busca de una explicación a tanto jaleo. Reconoció a Bakeriza de inmediato y lo hizo pasar junto al alcalde para asombro de sus subalternos. «Son viejos amigos», los tranquilizó con un gesto.

En 1932 se aprobó el plan para el nuevo puerto, a los pocos días de la visita de Bakeriza. Se puede afirmar que en aquella ocasión el pescador sí que encontró el camino directo.

Cuando busqué información sobre Prieto en internet e introduje en el buscador Google las palabras «Prieto + Ondarroa», me aparecieron enlaces con unas cuantas páginas. Uno de ellos conducía a un portal de nombre «Buceo XXI». En el mismo encontré un interesante artículo sobre un buzo llamado Mancisidor.

Nacido en Motriko en 1872, Juan José Mancisidor vivía en Ondarroa. Fue un pionero entre los submarinistas. Pronto se extendió por toda la costa cantábrica su fama de buzo. Por este motivo, cuando en San Sebastián quedó atrapado el yate del rey Alfonso XIII, le llamaron a él para que lo liberara. La hélice se había enredado a la cadena de una boya y el yate de nombre *Giralda* se había atascado, sin poder ir para adelante ni para atrás. Una vez examinado el escollo, Mancisidor preguntó si podía utilizar la dinamita. El capitán asintió que hiciera lo que tuviera que hacer pero que solucionara el problema. Dicho y hecho.

Tras liberarlo, el capitán preguntó al buzo cuánto le debían «Nada. No quiero ni un céntimo», fue la respuesta de Mancisidor. Cuando el rey supo que no quería cobrar dinero preguntó de qué manera podrían pagarle el favor hecho.

«Dejadme que coja del fondo de la bahía de la Concha lo que yo quiera», fue la respuesta de Mancisidor, sin pensárselo dos veces. Y así rescató de las profundidades anclas, viejos baúles, monedas y otras herramientas.

También los escritores buscamos restos de cosas en nuestro interior.

Indalecio Prieto promovió el proyecto para el puerto nuevo de Ondarroa. El proyecto se llevó a cabo, sí, pero cuando Mancisidor lo vio, argumentó que la obra se podía realizar de una manera mucho más económica y en menos tiempo si vaciaban la bahía construyendo un dique. Conocía mejor que nadie el fondo del puerto.

El ministro tuvo en cuentas sus opiniones. Vaciaron toda la bahía, la secaron, y así construyeron los diques nuevos, como si estuvieran trabajando en tierra.

Según el artículo de Google, Mancisidor murió en 1937, cuando participaba en el montaje de una grúa.

«¿Ya sabes quién soy?», me preguntó una mujer mientras con sus manos me apretaba los mofletes. Me sorprendió mientras iba al baño en un restaurante del pueblo. Fue la primavera pasada, en el 2008. Al pasar junto a la barra me abordó la mujer. Sus ojos eran húmedos, muy vivos. «Soy

Antigua Piperra. La mujer de Miguel. Tu madre me dijo que querías hablar conmigo para algo del libro. Vuestro padre y mi marido fueron de los primeros en ir a Rockall. Cuando quieras ven a casa y hablamos.» Mientras hablaba, me agarraba de las manos. Se llamaba Antigua, como nuestra madre.

«Yo soy la mujer de Miguel», declaró, y se fue. «Yo soy la mujer de Miguel», dos veces.

Me impresionó lo orgullosa que proclamaba aquella viuda de quién era esposa; a pesar de que hacía muchos años que su marido había muerto. Aun viuda, todavía se enorgullecía de su condición de esposa.

Miguel Gallastegi fue durante mucho tiempo el maquinista del barco *Toki-Argia*. Como nuestro padre era el patrón, solía pedirle en más de una ocasión consejo a Miguel. Qué ruta tomar, dónde echar la red.

La relación entre el patrón y el maquinista suele ser bastante estrecha en los barcos. Así tiene que ser además. En los tiempos en que los barcos eran de vela, viajaban carpinteros a bordo. Los carpinteros eran imprescindibles en caso de avería o si se torcía el mástil. Sin la figura del carpintero, el barco se venía abajo. Por eso en los barcos de vela solía haber hasta tres o cuatro carpinteros. Y la disputa era siempre entre el patrón y el jefe de los carpinteros. El patrón pretendía ir más deprisa y probar la resistencia de los mástiles. El carpintero, en cambio, prefería ir más despacio, cuidar el barco, para que llegara entero a puerto. A menudo pienso que todos mantenemos esa disputa en nuestro interior. Albergamos a un patrón de barco que pretende arriesgar, y a un carpintero que cuida de lo que más quiere y vela por su seguridad.

Posteriormente, los maquinistas ocuparon el lugar de los carpinteros. Pero la disputa siguió siendo exactamente la misma. Hasta hoy. El maquinista no quiere forzar el motor, que no se caliente demasiado. El patrón aspira a navegar a toda máquina.

A Miguel le gustaba pintar. Una vez prometió a mi padre que le regalaría un cuadro donde se reflejara el episodio en el que los soldados británicos apresaron el *Toki-Argia* y arrestaron a mi padre en el puerto de Stornoway.

En 1998 Miguel le entregó por fin a mi padre el cuadro. Se titulaba *Apresamiento del Toki-Argia*. El propio barco es el motivo principal. Una embarcación de arrastre negra, que enarbolaba junto a la chimenea la bandera de la empresa Larrauri Hermanos, roja y negra. Al lado del barco se sitúa el guardacostas, llamado *Jura*. Del buque de guerra sale una zódiac en dirección al *Toki-Argia*. El barco de pesca, mientras tanto, sube a cubierta una saca llena de peces.

«Aquélla sí que fue una buena captura», le recordó Miguel a mi padre cuando le dio el cuadro. En la parte inferior aparece inscrita una fecha: Rockall, 22 de mayo de 1982. El día que apresaron el barco.

11

LAS LÁPIDAS DE KÄSMU

Allí oí por última vez al cuco. Desde entonces no lo he vuelto a oír. Fue en los bosques de Estonia, en mayo del 2004. Un grupo de escritores dimos una vuelta por el monte y allí mismo lo escuchamos, en el corazón de aquel oscuro bosque, cantando.

Participábamos en un seminario sobre lenguas europeas celebrado en Käsmu, un pequeñísimo pueblo a orillas del Báltico. Käsmu es pequeño de verdad, no tendrá más de una docena de casas y unos trescientos habitantes.

Después del paseo por el monte nos invitaron a cenar en un edificio junto a la playa. Debíamos cenar a la luz del día, ya que era finales de mayo y en esa época del año sólo cuentan con tres o cuatro horas de noche en Estonia.

Aquella casa junto a la playa era muy hermosa. Sería la casa más grande de todo el pueblo. Con anchos ventanales de madera. Las puertas y las ventanas blancas. Las paredes azul claro. A la entrada de la casa un jardín, muy bien cuidado, y en la playa, el casco de un viejo barco.

En la época soviética el edificio lo había ocupado el guardacostas. Y anteriormente, la escuela de capitanes de marina. Ahora vivía allí un matrimonio. En el interior de la casa habían acondicionado una especie de museo. Con viejos utensilios de mar y aparatos de navegación. Había también viejas fotografías colgadas de las paredes. En las fotografías aparecían capitanes, muy elegantes en sus uniformes.

Al darse cuenta de que los retratos llamaban mi atención, el dueño de la casa me susurró al oído, «son alemanes, en la época de los zares la mayoría de los oficiales de la armada rusa lo eran». Muchos de los cargos de Estado en aquella época los ostentaban los alemanes, y también la mayoría de los científicos procedían de Alemania. «Eso hasta que llegó la revolución», me explicó con gesto triste.

Sobre la revolución y el asunto de los capitanes me ilustró el hombre en el camino al cementerio del pueblo. «Los extranjeros creen que la revolución fue también socialista en nuestro país. Pero en realidad no fue más que una conquista rusa. En aquellos oscuros bosques de ahí se escondían los disidentes. Muchos pasaron años y años viviendo en los bosques. Sin salir de allí.» Luego, cogió una brizna de hierba del borde del camino y me dijo que la probara, que era comestible.

El pequeño cementerio de Käsmu es uno de esos apacibles camposantos a orillas del mar. La iglesia es de madera, pintada de blanco, y las lápidas están rodeadas por una valla del mismo material. El descubrimiento más importante de aquellos días lo realicé en aquel cementerio. Pude apreciar algo que hasta ese momento no había visto nunca.

El hombre nos pidió que nos fijáramos en las inscripciones de las lápidas. En la mayoría aparecían dos nombres, con un solo apellido. En las lápidas estaban escritos los nombres del marido y la mujer.

Hasso Liive (1935-1999)

Ilvi Liive (1938-)

Así lo copié en mi cuaderno.

Lo curioso no era que marido y mujer estuvieran juntos. Lo sorprendente era que cuando se moría uno, inscribían también en la piedra el nombre del otro. Y el que quedaba vivo, en las visitas que hacía periódicamente al cementerio, veía grabado su nombre en la lápida. En vida y escrito. Sabía dónde acabaría sus días, y junto a quién, necesariamente.

Los estonios creen que, si se entierran juntos, en la otra vida también esas personas permanecerán juntas. Así nos lo contó el dueño de la casa de la playa. Durante nuestra estancia allí, la poeta estonia Doris Kaveva nos contó una vieja historia. Le había venido a la memoria con el tema de las lápidas.

Era la historia de la abuela de un amigo. Contaba Kaveva que de joven la abuela se había enamorado de un chico del pueblo. Aunque se querían de verdad, la vida no les concedió la oportunidad de estar juntos. Él hubo de tomar una dirección y ella, la contraria. El chico se marchó del pueblo y la chica se quedó. Y, así, conocieron a otras personas, con quienes se casaron y tuvieron hijos. Pero en el interior de sus corazones seguía muy vivo el primer amor. Aquella llama nunca se apagó, a pesar de los años. Hasta que el hombre regresó. En adelante se encontraban a menudo en aquel pequeño pueblo, pero también entonces la vida de cada uno discurría por distintos caminos. Era demasiado tarde para juntarse. Y así siguieron hasta que uno de los dos, el hombre, murió.

Se habían hecho la promesa de que en vida no podrían estar juntos, pero sí en la muerte, y para el resto de sus días. Al final, la mujer se las arregló para disponer su tumba al lado de la del hombre. Enterrarían a cada uno con su pareja pero ellos también estarían juntos, uno pegado al otro, de modo que pudieran darse la mano.

A Doris Kaveva le parecía preciosa la historia de amor de aquella abuela. Le parecía que la mujer había sido muy valiente, y que al final el amor había vencido a las adversidades. Después de todo descansarían juntos eternamente.

La poeta galesa Meredid Puw Dadies no estaba de acuerdo. Meredid, que era veinte años más joven que Doris, no quería acatar el destino. Y mucho menos esa condena impuesta por la sociedad.

A Meredid la historia le parecía muy dura. Duro, por una parte, el que grabaran a la vez los dos nombres en las lápidas. Que se resignaran a que aquella inscripción los encadenara de por vida. Y duro, por otra parte, lo que les sucedió a aquellos enamorados.

«¿Es que acaso no se puede cambiar de rumbo en la vida? ¿Es que no existe la oportunidad de empezar otra vez de cero?»

Aquella noche cené al lado de Meredid. Sentado frente a nosotros, el poeta escocés Alan Jamieson. Alan es de las islas Shetland pero actualmente vive en Edimburgo. Le conté la historia de los pescadores que faenaban en la zona de Rockall, y el hecho de que mi padre mencionara muchas veces el nombre de un puerto: Stornoway.

«En Stornoway hay escritores muy buenos, Kevin

McNeil es uno de ellos. Creo que tengo en mi habitación un ejemplar de su libro de poemas.»

Antes de cenar, cada poeta debía leer un poema, cada uno en su idioma. Doris fue la última:

Naine on vesi – selge,
Puhas ja igavene.
Mehed on maitseained
Sajandi supi sees.

(La mujer es agua,
agua limpia y eterna.
Los hombres no son más que la sal y la pimienta
en la sopa de esta noche.)

En la sobremesa Meredid volvió de nuevo sobre el asunto de las lápidas, y se lamentó de que hubiera que seguir siempre los mismos caminos trillados, que la gente creyera que las cosas sólo se pueden hacer de una única manera. Y lo mismo en la literatura. Nuestras pequeñas culturas deben renovarse, sostenía. Cambiar los procedimientos. Adaptarse a la época. Opinaba que el soporte había cambiado. Que hoy en día no sólo existían los libros. Ahí estaban las nuevas tecnologías como muestra. Y el receptor también había cambiado. Ahora no se escribía únicamente para los miembros de la misma comunidad. Ahora el mundo era más pequeño. El sábado por ejemplo recitaríamos para la gente de Tallin. Y eso hace unos años era impensable.

«De todas maneras, sospecho que no creemos en nosotros mismos como es necesario. Las fuerzas están demasiado divididas», concluyó. «Os voy a contar lo que pasó en la guerra de las Malvinas. Los argentinos ocuparon las islas Malvinas y la armada del Reino Unido acudió a liberarlas. Resultó, casualidades del destino, que había hablantes del gaélico en las dos armadas. Por una parte, los galeses desplazados bajo las órdenes de la reina. Y por otra, los argentinogaleses que defendían la bandera albiceleste. En Argentina viven muchos galeses y en algunas zonas de la Patagonia sólo se habla gaélico. Lucharon unos contra otros. Pero a ambos lados de las trincheras se escuchaba el mismo idioma. Pues bien, parece que todavía estamos inmersos en la misma guerra.»

Interrumpieron la intervención de Meredid. Un hombre mayor que había cenado junto a nosotros cogió una cuchara, dio golpecitos contra el cristal del vaso y pidió silencio. Se presentó: «Buenas noches, me llamo Fred, soy naturalista, y me gustaría que escucharais una cosa.» Tras decir esto puso un CD en el equipo de música. Eran pájaros cantando, pío-pío-pío.

«¿Cuántos tipos de pájaros creéis que hay?», nos preguntó luego. «Uno o dos», dijo uno, «tres o cuatro», otro. «Pues no», respondió Fred, «hay veinte tipos de canto, veinte pájaros distintos cantando a la vez». Entonces relacionó lo de los pájaros con el recital que acabábamos de dar. «Escuchándoos parecía que erais pájaros cantando. Yo durante cuarenta años he escuchado a los pájaros en el bosque. No entendía su canto pero sabía lo que sentían. Sabía cuándo tenían frío y cuándo hambre, sabía cuándo estaban enfermos o enamorados. Yo a pesar de que no he entendido una por una vuestras palabras, sé lo que me querían decir. Y sin embargo, vosotros mismos no habéis sido capaces de distinguir los cantos de unos pájaros. Sólo habéis oído los que estaban por encima, los que cantaban más alto.»

Salí al exterior. Eran la una o las dos de la mañana y todavía no había oscurecido del todo. En el horizonte se veía una franja rojiza. Parecía el ojo entreabierto de un niño a punto de quedarse dormido. Fred se me acercó y él también se quedó mirando el cielo. Sin apartar la mirada del horizonte le dije que había sido muy hermoso lo de los pájaros. Que nos había dado una lección.

«No ha sido ninguna lección. La mitad del mundo no sabe nada de la otra mitad», continuó el naturalista mirando al firmamento. «Durante cuarenta años de mi vida me he dedicado a escuchar a los pájaros, sé todo lo que hay que saber sobre su canto. Pero yo no soy capaz de cantar. No he escrito ni una sola línea. Yo también quería ser poeta pero no he podido escribir jamás, me podía el miedo.»

En los bosques de Estonia escuché por última vez el cuco. Un viejo dicho de nuestro país dice que si cuando oyes el cuco por primera vez tienes monedas en el bolsillo, no te faltará el dinero durante ese año.

Yo entonces no tenía monedas en los bolsillos, pero traje los pantalones llenos de poemas.

12

HA ENTRADO UN PÁJARO POR LA VENTANA

Cuando escribí el texto de la conferencia «Las lápidas de Käsmu» se lo envié a Nerea por correo electrónico para que lo leyera. Yo me había quedado contento pero quería saber su opinión. Me contestó inmediatamente:

De: Nerea Arrieta nerearrieta@euskalnet.net
Para: Kirmen Uribe kirmen@gmail.com
Fecha: 27-07-2008
Asunto: reunión de cucos

Entonces fue eso, una reunión de cucos lo que hicisteis en Estonia. Sabes, así llama mi abuela a un grupo de tres o cuatro personas cuchicheando, una reunión de cucos. Te ha quedado muy poético el final. Yo te voy a contar algo más realista. Una vez iban dos amigos por el monte y oyeron cantar al cuco. Como los dos llevaban monedas en el bolsillo, acto seguido empezaron a discutir. «Me ha cantado a mí», decía uno. «Ni pensarlo, ha sido a mí», le replicaba el otro.

Como no se arreglaban de ninguna manera, decidieron ir ante un notario a aclarar el asunto. El notario les aclaró que antes de nada debían pagarle, que dieran cada uno dos monedas y les prestaría sus servicios. Cuando hubieron pagado le contaron al notario lo que había pasado y le preguntaron a quién había cantado entonces el cuco.

«¿Que a quién le ha cantado? Ni a ti, ni a ti. ¡El cuco hoy me ha cantado a mí!», les dijo el notario.

Otro cuento de la abuela.

Tengo mucho trabajo. Ya te llamaré.

¡Besos!

«Pasta o carne», nos ha preguntado la azafata del avión mientras reparte las bandejas de la cena con un carrito. L. Thompson, he leído en la identificación que lleva en la solapa. Renata y yo hemos elegido pasta. Para beber vino tinto. *Danke. Bitte.*

—No me has dicho sobre qué trata tu novela —me ha preguntado Renata mientras sacaba los cubiertos de la bolsa de plástico.

He suspirado.

—Es muy largo de contar.

—Ummm… Eso no es bueno. Has de saber que un buen novelista tiene que saber definir su novela en tres o cuatro líneas.

—¿Ah, sí? Pues voy a intentarlo.

—Te escucho.

—En un principio la idea era escribir sobre el barco de mi abuelo. Y, de paso, hablar de una forma de vida que se está perdiendo. Una forma de vida unida al mar. Además, el nombre del barco es muy sugerente. *Dos amigos.*

—Suena bien.

—Siempre he querido saber por qué le puso el abuelo ese nombre al barco. He investigado quién podría ser ese supuesto amigo, pero no he sacado nada en limpio.

—¿Dos amigos? ¿Como el barco de esclavos?

—¿Qué barco de esclavos?

—¿No lo conoces? Es un barco de esclavos importante en la historia de Estados Unidos. Además, el asunto tiene su miga. Un político llamado Douglas Wilder, gobernador de Virginia y alcalde de Richmond, pidió a Washington una ayuda de doscientos millones para construir el Museo de la Esclavitud, el US National Slavery Museum. Debía convertirse en un edificio relevante, inspirado en la pirámide del Louvre. Lo más llamativo del museo lo constituiría la réplica a tamaño real del barco de esclavos *Dos amigos*. Para que la gente pudiera ver cómo transportaban a los esclavos, en qué condiciones hacían el viaje, unos encima de otros en un espacio reducido.

—Es una casualidad que el barco de mi abuelo se llame igual.

—La historia del *Dos amigos* fue dura.

—¿Por qué?

—En otoño de 1830, el barco de la armada británica *Black Joke* apresó al barco de esclavos *Dos amigos* cerca de la isla de Fernando Poo. Como escribió el capitán William Ramsey, el barco trasladaba a la zona de Cuba más de quinientos esclavos. El capitán del *Dos amigos* era un tal Mújica.

—Perdona que te interrumpa, pero ¿qué nombre has dicho?

—Mújica —ha pronunciado a la inglesa.

—Parece vasco.

—Puede ser, pues el barco era de Cuba.

—Pero sigue contando, por favor.

—Vale. El tal Mújica advirtió que llevaban detrás al británico *Black Joke*, y sabía que tarde o temprano serían atrapados. Para que no ocurriera, Mújica decidió que debían perder peso. De este modo, arrojó al agua, cerca de la isla, a los quinientos esclavos, para que pudieran ir a nado hasta allí, y arrojó también fardos de comida, para que pudieran sobrevivir varios días. La intención de Mújica era clara: el barco ganaría velocidad sin la carga y así engañarían al *Black Joke*. Una vez les hubiera perdido el rastro, volverían a Fernando Poo, recogerían a los esclavos y los transportarían a Cuba.

—Como si fueran mercancías.

—Eso es lo que eran para ellos. Pero déjame acabar. Resultó que el *Black Joke* era muy rápido, y en cuanto salieron de la isla apresaron al *Dos amigos*. Detuvieron a los oficiales pero resultaba imposible acoger en el *Black Joke* a los más de quinientos esclavos. A partir de entonces el barco *Dos amigos* se convirtió en un barco que luchó contra la esclavitud. Le cambiaron el viejo nombre y le pusieron *Fair Rosamond*, y con el nuevo nombre cumplió su cometido.

—¿Y qué ocurrió con los más de quinientos africanos?

—Allí se quedaron, sin protección. Nadie volvió en su busca. Lo peor es que tan olvidados como esos africanos está el proyecto del US National Slavery Museum. ¡Todavía no hay ningún plan para su construcción!

—Sabes mucho sobre ese tema, la verdad.

—Es mi labor. Mi centro de trabajo es el Schomburg Center for Black Culture, en Harlem. Y siempre he estado muy interesada en investigar mis raíces.

—Yo he estado en una ocasión en Harlem, el pasado

mayo. Fui a la reunión anual de la Academia Americana de las Artes y las Ciencias.

—No está mal.

—Sí, pero no fue como te lo imaginas. La escritora Elizabeth Macklin, que ha traducido al inglés un libro mío, me invitó a ir con ella. Quedamos en la entrada de la Academia, un cuarto de hora antes de las siete. Allí aparecí yo, vestido de traje, en la puerta de la Academia. Pero me di cuenta de que había muy poco movimiento por ahí. En una de éstas, les pregunté a unos hispanos que traían los canapés a qué hora era la reunión. ¡Todavía faltaba una hora! Con los nervios ni me había dado cuenta.

—¿Y qué hiciste durante esa hora?

—El ridículo. Lo único que se me ocurría pensar era que estaba en medio del Harlem, con un traje Gucci. Hubiera querido ir a tomar un café, pero no me atrevía a entrar así en ninguno de aquellos bares, vestido tan elegante. No te lo creerás, pero me daba miedo.

—¿Miedo?

—Sí, y así estuve durante una hora, sin alejarme más de tres metros de la puerta. Lo mejor es que cuando acabó la gala quería ir a cenar con Elizabeth a un restaurante japonés llamado Soto, y no sabíamos la dirección. Elizabeth dijo: lo buscaremos en ese Internet café de ahí adelante. ¿Me creerás si te digo que entré en el cibercafé y que nadie me miró?

—Claro que no. Los prejuicios tienen mucho peso. De todas maneras, en algunos sitios es mejor no entrar.

—¿Sabes que en nuestro pueblo no se han visto negros hasta hace muy poco?

—¿En serio?

—Sí. Pero fíjate cómo son las cosas. Ahora son un cinco por ciento de la población en un pueblo de nueve mil habitantes. Los jóvenes del pueblo no queríamos salir a la mar y ahora son ellos los pescadores.

—¿Y eso por qué?

—En el 2001 los armadores reclamaron la necesidad de nuevos pescadores y su demanda la atendieron desde Senegal. Allí hay una gran tradición marina. Sobre todo en Dakar. La mayoría son del pueblo Serer Nominka. El significado del nombre del pueblo es muy bonito: Gente de mar.

—Gente de mar. Yo creo que te la han pegado. Los escritores lo veis todo así de bonito. Estoy bromeando. Puede que sea así. Los Serer son un pueblo de gran movilidad, eso decía al menos Senghor. Y de ahí vendrá lo de la gente de mar.

—La odisea de esos marineros se asemeja un poco a la del *Dos amigos* de Cuba. Los primeros sí vinieron con contrato, pero luego otros acabaron viajando en cayucos, pasando de Mauritania a las islas Canarias. Más de cincuenta personas en una pequeña embarcación. Si tienen suerte, el viaje dura doce horas. Salen a las siete de la tarde y llegan a las siete de la mañana. Pero muchos pasan varios días en alta mar a la deriva.

La azafata L. Thompson nos ha recogido las bandejas vacías. Nos ha ofrecido café o té. Yo he elegido descafeinado. Renata no deseaba nada más. Se ha disculpado para pedirme paso y se ha ido al baño.

Me he acordado del tío Boni. Solía ver la televisión desde la cama, aunque la mayoría de las veces no le hacía gran caso. Aquella vez, sin embargo, la miraba con atención. En la pantalla aparecían los cuerpos de varios inmigrantes muertos en el estrecho de Gibraltar. Al ver las imágenes se le entristeció el semblante. Le pregunté qué le pasaba y señaló la tele. «En ese estrecho sopla el viento muy fuerte», me dijo acto seguido, «apenas hay olas pero el viento es impresionante. Por eso, conviene no cruzar el estrecho en línea recta, las barcas deben ir siempre cerca de la costa, protegidas. Para cruzar el estrecho las barcas deben dar una gran vuelta, para que el viento no las hunda. Por si eso fuera poco, por allí pasan grandes cargueros muy a menudo, y hay que andar con mucho cuidado para no chocar contra ellos».

Estaba enfermo pero tenía muy presente todo lo aprendido en el mar. «Lo que les pasa a esos pobres es en realidad muy grave. Por efecto del viento, la embarcación se les llena de agua, pero no creas que se les llena debido a grandes olas, no. La embarcación se les llena de agua por las salpicaduras, poco a poco. Intentan achicar con baldes, pero la mayor parte de las veces no sirve para nada.»

Cuando acabó la noticia de los inmigrantes ahogados apagó la televisión, y se quedó mirando fijamente la pared, como si tratara de recordar algo ocurrido hace muchos años. «Los vascos también hemos tenido estrechos tan peligrosos como ése. En la posguerra el trayecto entre Ondarroa y Anglet era tan difícil como cruzar el estrecho de Gibraltar. Muchísima gente escapaba por mar a Francia. Incluso en pequeños botes. Uno que trabajaba con nosotros en el barco, Fidel, me contó lo siguiente. Estábamos pescando en las playas de las Landas y entramos con el barco en Burdeos. Fidel se me acercó y me invitó a dar un paseo con él. Dejamos al resto de marineros en el puerto y me llevó a un cementerio que había por allí. El cementerio era inmenso, lleno de cruces. Ahí había luchado Fidel tiempo atrás. Y es que él había sido uno de los que huyeron a Francia. Pero nada más llegar a Lapurdi estalló la Segunda Guerra Mundial y se alistó contra los nazis. Parece ser que la batalla de Burdeos fue la más dura. Le caían en la cara trozos de cuerpos. Ocurrió todo aquello en aquel prado verde lleno de cruces blancas. En aquel prado en el que brillaba el sol.»

Yo no soy capaz de escribir un diario. Anoto las cosas en cuadernos, lo que se me ocurre, lecturas y otro tipo de datos, lo mismo cosas que tengo que hacer que números de teléfono. Eso es mi diario.

Después de vivir en Bilbao y en Vitoria, en otoño del 2005 volví a mi pueblo. Me había marchado de casa en la época de la universidad y, hasta entonces, sólo volvía por breves temporadas.

El 28 de julio del 2005 escribí esto en el cuaderno:

El domingo llegué a Ondarroa. Me tranquiliza estar en el pueblo. Trato de concentrarme en el proyecto de la novela pero no puedo. A la tarde, cuando estaba juntando unas pocas frases ha entrado un pájaro en la habitación. Era tan frágil, daba vueltas y vueltas chocando contra las paredes. He abierto la ventana y ha salido. Me parece que yo también estoy tan confundido como ese pájaro; he perdido la orientación.

Hoy al mediodía me han contado un pasaje de la guerra. En tiempos de la República debía de haber un socialista en el pueblo al que llamaban Meabe. El hombre era muy aficionado a los pájaros y les enseñaba a cantar. Tenía un montón de pájaros cantores.

*En una ocasión, durante la guerra, una bomba
destruyó la casa y todos los pájaros salieron volando.
Para entonces Meabe ya había escapado del pueblo.
Debió de ser algo mágico, después de una fuerte explosión cientos de pájaros cantando, libres. Tras un suceso
tan grave, tras el miedo, tras la destrucción, la alegría
se adueñó de aquellas calles por un momento.*

Los pájaros eran del bilbaíno Santi Meabe. Era uno
de los mejores criadores de pájaros cantores. La bomba
había liberado a los pájaros pero, con anterioridad también, cuando en 1935 salió de la cárcel, el propio Meabe
había dejado libres a los animales, había abierto las jaulas
y les había dicho «Aire, vosotros también estáis libres».
En opinión de Meabe, los pájaros criados junto a la costa eran los mejores, porque aprendían a cantar contra el
mar. Cuando estuvo en Normandía, encargado del cuidado de los refugiados de la República, también criaba pájaros y con sus cantos hacía más llevaderos los sufrimientos
de la guerra.

Santi Meabe era hermano del líder socialista Tomas
Meabe. El amor lo trajo al pueblo. Se enamoró de Salva-
dora Goitia y se casó con ella. Tenían una tienda de ropa,
bajo la iglesia.

A Santi Meabe le llamaban *Orbela*, que significa hojarasca en euskera. De hecho, su devenir político era bastante curioso. Al principio fue nacionalista, del PNV, siguiendo la tradición que le venía de casa. A medida que
pasaron los años, fue uno de los fundadores de ANV, una
escisión del PNV, más liberal y laico; y al final, acabó en el
partido socialista. De ahí lo de la hojarasca.

En tiempos de guerra él fue el responsable de la defensa de la República en la comarca de Lea-Artibai. Una

de las primeras decisiones que tomó fue la de volar los puentes. Así, se dinamitó el viejo puente de Ondarroa para que los franquistas no pudieran atravesarlo. El viejo puente que había sido tantas veces pintado por los artistas, símbolo de un mundo antiguo, lo derribó la guerra.

El puente se destruyó dos veces. La primera fue en esa ocasión, durante la guerra. La segunda fue cuando se lo llevó años más tarde una inundación, el mismo día que murió el arquitecto Ricardo Bastida.

13

BARCOS QUE LLEGAN A PUERTO

Ricardo Bastida murió el 15 de noviembre de 1953. Supo que Indalecio Prieto estaba débil y quiso ir a visitarlo a México, donde Prieto permanecía exiliado. Pero enfermó en el avión y hubo de volver. Nada más llegar al aeropuerto del Distrito Federal tuvo que coger un vuelo de vuelta a casa.

No era la primera vez que Bastida visitaba a Prieto en su exilio. En 1948 lo visitó en San Juan de Luz. Hablaron de las cosas de siempre. Hablaron de sus años mozos en Bilbao. De los gigantes y cabezudos, de la figura del Gargantúa, aquel gigante de cartón-piedra que se comía a los niños. A Prieto le encantaba que se lo tragara una y otra vez y salir por el trasero del gigante. A Bastida le daba vergüenza. Discutieron, cómo no, sobre religión. Se lamentaron de los proyectos que albergaban para su ciudad y que la guerra truncó. De aquella gran estación de ferrocarril. Prieto contaba que Bastida estaba destrozado por las consecuencias de la guerra.

A Bastida el estallido de la contienda le sobrevino en

115

Ondarroa. Era julio y se encontraba allí de vacaciones. Inmediatamente se vio atrapado entre los dos bandos. Para algunos, era demasiado conservador; para otros, amigo de los socialistas.

Al arquitecto se le murió el hijo el 15 de setiembre de 1937, en el frente, como soldado. Había sido llamado a filas forzosamente. El joven Ricardo Bastida no tenía más que veinticinco años cuando lo mataron. Once años antes había escrito un diario que rebosaba candidez y en el que narraba el viaje que había hecho junto a su padre a Estados Unidos. El mismo diario que yo poco antes había terminado en el avión. Entonces el mundo era ancho y atractivo. Durante la guerra, por el contrario, cruel.

«Ahora nos preguntan oficialmente a los familiares de los fallecidos en el frente nacional, durante la guerra civil, si estamos dispuestos a entregar sus restos a fin de trasladarlos para su sepultura definitiva en el Valle de los Caídos. ¡Perdona, Dios mío, a quienes tal cosa proponen! Caídos son todos los que cayeron, pues a todos hermanó la muerte y todos eran hermanos, hijos de una misma patria», le dijo Bastida a Prieto.

La amistad con Prieto le acarreó muchos quebraderos de cabeza a Bastida. Aun siendo arquitecto diocesano y presidente de Acción Católica, lo delataron y fue suspendido de empleo y sueldo y estuvo a punto de ser encarcelado.

Bastida se encontró tiempo después con la persona que lo denunció y se le acercó. Advirtió que el denunciante se ponía nervioso. Tan sólo le dijo: «Vengo a decirle que le perdono; el perdón es mi única venganza.»

No sé si Miguel Gallastegi, el maquinista del *Toki-Argia*, otro de los grandes damnificados, llegó a perdonar el sufrimiento que le causó la guerra. Diría que sí, o que al menos superó la pena y el resentimiento, conforme a lo que yo recuerdo y a lo que me han contado.

Mi memoria es imprecisa respecto a los regresos del *Toki-Argia*. Sí puedo afirmar, sin riesgo de equivocarme, que en el puerto nos reuníamos un montón de gente. Las mujeres y los niños aguardábamos impacientes a que el barco llegara a tierra. Algunos pescadores partían de viaje con la mujer embarazada y a la vuelta la encontraban con un cochecito de niños. «Una cosa es decirlo y otra vivirlo. Hallándose uno en el mar y la otra en tierra, nosotras apenas vivíamos las cosas con el marido. Nos las contábamos, eso sí. Pero para entonces ya eran cosas pasadas», se lamentaba mi madre.

También los hijos estábamos poco con el padre. Algunas veces mi madre le chivaba que nos habíamos portado mal para que nos riñera. «Vete a la habitación de los niños y ríñeles.» Pero cuando nuestro padre entraba en la habitación se sentaba junto a la cama y ahí se quedaba, mirándonos, en silencio.

En cuanto atracaba el barco, los marineros comenzaban a salir con sus grandes sacos azules. Me acuerdo muy bien de Miguel, el maquinista. Cómo podría un niño olvidarlo, si desembarcaba con sus fascinantes miniaturas de barco en las manos. Eran tan largas las horas que pasaba en la sala de máquinas, que mataba el tiempo confeccionando pequeñas reproducciones. Eso, cuando había buena mar.

En el pueblo hay una gran tradición de maquetistas de barcos. La maqueta más antigua que se conserva es una fragata, del siglo XIX, que está colgada en la ermita de La Antigua. La debieron de hacer José Mauri y Kaiser, cumpliendo votos con la iglesia.

Con posterioridad la fragata de La Antigua fue restaurada por Fernando Iramategi en la década de los cincuenta. La fama de Fernando Iramategi se había extendido más allá del pueblo, sobre todo entre los veraneantes. Ricardo Bastida y José María Oriol y Urquijo apreciaban mucho su trabajo. Sobre todo Oriol. En una ocasión Oriol vio un precioso barco en un escaparate. Aquél también era de Iramategi, no había duda. Según Oriol, ése era el barco más extraordinario que había visto en la vida. Una obra de arte. Era asombrosa la manera en que cuidaba hasta el más ínfimo detalle. Iramategi lo concibió como la cima de su arte.

Tan impresionado quedó Oriol con el velero que le pidió al artesano que se lo vendiera, que le pusiera precio, por favor, que él se lo compraba. Le daría todo el dinero que quisiera por aquel trabajo. Le daba igual cuántos miles de horas hubiera necesitado para hacer el barco. Se las pagaría todas, y bien pagadas. Pero Iramategi le dijo que no. El artesano era un hombre muy recto, había dado su palabra y no podía hacer algo así. Y así se lo dijo a Oriol, que aquel barco era para un sorteo y que no había vuelta atrás. Que si quería que comprara un boleto y que esperara a que Dios o la suerte decidieran.

José María Oriol no se quedó tranquilo tras la conversación con Iramategi. Y cada vez que contemplaba aquel precioso barco las tripas le daban vueltas. Lo quería para él, costara lo que costara. No concebía la idea de que otro disfrutara de ese barco en su casa, simplemente porque había sido más afortunado en el día del sorteo. A Oriol no le gustaba dejar las cosas en manos de la suerte. Ni en la vida ni en los negocios. A Oriol le gustaba tomar decisiones, era de los que piensan que hay que aprovechar las oportunidades.

Por fin llegó el día del sorteo. Oriol fue comprando, de uno en uno, todos los boletos, él fue el primero en hacerse con los papelitos blancos. Y así se hizo dueño de aquel precioso barco del maestro Iramategi. Algunas cosas no hay que dejarlas a merced del destino, por lo que pueda pasar.

A Miguel Gallastegi en el pueblo le llamaban *Miel Madrileñu*. Tenía muy bien puesto el mote, y es que había nacido en Madrid, a pesar de que el padre era oriundo de Ondarroa. Probablemente su padre no había nacido para el mar, ya que se mareaba, y la familia lo mandó a Eibar a trabajar en la fábrica de armas Star.

Allí se dieron cuenta de que el chaval tenía dotes y lo mandaron a la sede de la Casa de la Moneda, a diseñar monedas y billetes. Se casó en Madrid, e incluso alcanzó una buena posición, ya que durante el estío se hospedaban en el balneario de Urberuaga, como los veraneantes.

Miguel, de pequeño, no quiso venir nunca aquí. No quería salir de Madrid, estudiaba en la Institución Libre de Enseñanza y prefería ir a las colonias de verano que organizaba esa institución en Cantabria.

No quería saber nada de aquel pequeño pueblo del que era su padre.

Cuando llegó la guerra, sin embargo, las cosas se torcieron. En un bombardeo les destruyeron su casa de Argüelles. Los abuelos huyeron de Madrid a Alicante y allí murieron. La madre no pudo soportar la muerte de la abuela y ella también murió, de pena, tal y como cuenta Miguel.

Al padre lo cogieron preso cuando Madrid cayó en manos de los franquistas. Al poco tiempo, lo contrataron para que trabajara de mecánico, y ese trabajo le dio la posibilidad de pasar algunas horas fuera de la cárcel. Eso le salvó la vida. Por desgracia, cuando acabó la guerra las cosas cambiaron de arriba abajo. Se endureció la represión. Hubo muchos fusilamientos. Al padre de Miguel también lo llevaron al paredón.

Antes de que eso ocurriera, por lo que pudiera pasar, su padre le dio a Miguel un papelito con algunas direcciones. Sospechaba que antes o después lo ejecutarían. El padre le pidió que en caso de que a él le sucediera algo, recurriera a una de aquellas direcciones, y le aseguró que allí lo recibirían bien, lo tratarían bien. Todas las direcciones eran de Ondarroa.

Con quince años, y sin nada más que el cielo sobre su cabeza y el suelo bajo sus pies, Miguel vino en tren de Madrid a San Sebastián. Después tomó el tren de la costa hasta Deba. En Deba comprobó que había un autobús que iba a Ondarroa y Miguel le enseñó el papelito al conductor, preguntándole si conocía a alguien de aquella lista. El conductor condujo a Miguel al número 12 de la calle Iparkale, y allí lo acogieron los de la familia de Piperra. Para entonces la calle Iparkale había cambiado de nombre, y de ahí en adelante se llamaría Comandante Velarde. Los Piperra acogieron en su casa a Miguel, un muchacho al que no habían visto en su vida. En el mismo edificio vivían Liborio y Ana, mis abuelos, en el piso de abajo.

Miguel le contó todas estas historias a su nieta y la nieta las recopiló para un trabajo de la escuela, unos meses antes que Miguel muriera. Cuando fui a visitarla, Antigua Piperra me entregó la grabación diciéndome, «Miguel era esto».

El CD es muy alegre. Por una parte, está el humor de Miguel y por otra las risas de la nieta. Por ejemplo, cuando cuenta lo que le sucedió durante la Segunda Guerra Mundial. Parece ser que estaban pescando en la costa francesa en la década de los cuarenta y en una de éstas encontraron una caja. «La caja incluso tenía percebes en la tapa», según Miguel. Los marineros sacaron la caja del agua y se dieron cuenta de que llevaba escritas unas letras en la parte de arriba, RAF, las iniciales de la Aviación de la Armada Británica. Al abrir la caja se llevaron una grata sorpresa. Eran chocolate y galletas.

«Nosotros no nos lo podíamos creer, con la edad que teníamos y el hambre que pasábamos, nos acabamos las galletas en un santiamén», se le oye a Miguel.

Pero ahí no se acabó la aventura. Tras comerse las galletas, los marineros no podían dormirse. Después de toda una jornada de insomnio, al segundo día tampoco pegaron ojo. Y estaban tan frescos para trabajar como si hubieran dormido ocho horas. El tercero, en cambio, fue imposible abrir los ojos. Para el tercer día, el sueño les llegó de sopetón. «Estuvimos durmiendo durante veinticuatro horas.» El chocolate y aquellas galletas debían de ser para pilotos de guerra, y tenían alguna droga para mantenerse despiertos durante largas horas de batallas aéreas.

El pasaje de la caja de la RAF me ha recordado una historia que contaba mi abuela. En aquella época, los pescadores vascos encontraban a menudo en el mar restos de naufragios. El caucho era lo más preciado. El caucho daba mucho más dinero en tierra que el pescado. Solían encontrar grandes fardos de caucho en la superficie del mar. Partían los fardos con hilo de pita y luego escondían los trozos en los sacos de la ropa, para venderlos después de estraperlo.

Antes de la Segunda Guerra Mundial el caucho lo extraían de los árboles, primero en Brasil, y en Malasia e

Indochina después. Los brasileños cuidaban el árbol del caucho como si fuera oro, pero espías británicos y franceses robaron semillas y comenzaron a trasplantarlo en las colonias de Asia. En 1942, la campaña del Océano Pacífico dejó a la armada de Estados Unidos sin materia prima para producir caucho, y entonces empezó la carrera para conseguir caucho sintético.

Los años 1942 y 1943 fueron muy duros para los cargueros que querían cruzar el Atlántico. Eran barcos muy fáciles de hundir para los submarinos alemanes. Entre 1941 y 1944 la costa entre Hendaya y Cabo Norte estaba bajo control alemán.

El abuelo encontró una vez fardos de caucho mientras pescaba en la costa francesa. Los restos de un naufragio. Mi madre se acuerda muy bien de la ocasión en que el abuelo apareció con unos zapatos nuevos comprados con el dinero del caucho. Trajo un par para cada hija.

Miguel cuenta también lo que les pasó una vez en la parte de Galicia. Andaban por aquella zona detrás del atún. Como era una costera bastante larga al patrón se le ocurrió pintar el barco. Llevaron el barco a tierra y los propios marineros empezaron a pintarlo. Aquello creó una gran expectación. Todos los días una multitud se les acercaba a ver el barco. Ellos no entendían el porqué, al fin y al cabo el suyo no era más que un barco de bajura, parecido a los que había en Galicia. Más tarde lo supieron. Por aquellos parajes había corrido el rumor de que los barcos vascos tenían el fondo de cristal y por eso pescaban tanto. La gente iba a ver cómo era eso del fondo de cristal.

Los pesqueros vascos no serían, seguramente, más rápidos, y sus capturas serían similares a las de los demás. Pero la distancia siempre origina el misterio, el mito.

En el CD también aparece el ambiente de los años en que Miguel llegó al pueblo. En Ondarroa no había luz, a primeras horas de la madrugada los despertaban los serenos que iban de casa en casa avisando a los marineros y, al cabo de un rato, no se oía más que el ruido de los chanclos. Sólo se calzaban con aquellos zapatos de madera. En el mar, por el contrario, andaban descalzos. Y los días de fiesta con alpargatas.

También aparece recogido cómo ha cambiado la pesca. Miguel cuenta cómo en aquellos primeros años la pesca se la repartían entre los barcos. Igualmente, cuando era temporada de anchoas se distribuía en el pueblo el pescado. «Nos tiraban a bordo desde el muelle el pañuelo y nosotros le devolvíamos el pañuelo lleno de anchoas al que venía a pedir. Entonces había mucha solidaridad. Hoy en día, esa solidaridad ha desaparecido.»

El día que me dejó el CD, la viuda comenzó a llorar a la hora de despedirse, «siento un gran vacío sin él, tan bueno era aquel hombre. Desde que se murió apenas salgo de casa». En palabras de la mujer, cuando se retiró y dejó el mar el hombre andaba como perdido y triste. No sabía qué hacer. Echaba en falta la vida del mar. En una de éstas, se dedicó a una vieja afición, a la pintura. Pasaba horas y horas pintando, en la mesa de la cocina. Ponía la rodilla encima de la silla y así pintaba. Con la misma habilidad con la que su padre diseñaba billetes.

«Era un hombre muy alegre», me dijo Antigua después de enjugarse las lágrimas. Sufrió un aneurisma y le operaron. Al poco tiempo todos los Piperra celebraron una comida. Por si acaso, Miguel se quedó en casa, andaba débil y prefirieron que descansara.

Miguel, sin embargo, no podía quedarse sin asistir a la comida. Se disfrazó de payaso y se dirigió a la casa donde comía toda la familia. Era el portal de la casa de al lado. Quería darles una sorpresa. Pero cuando comenzó a subir las escaleras se sintió mal.

Un niño lo encontró en las escaleras. «Así se nos fue, tal y como era él, de buen humor.»

He mirado a la pantalla de navegación. En ella aparece un mapa del Atlántico. Toda Europa y América. Y una parábola describe el trayecto del avión desde que ha salido de Frankfurt hasta que cruza las islas Británicas. Todavía no hemos hecho ni la mitad del camino. La pantalla detalla también dónde es de día. Aparecen oscurecidos los países donde es de noche e iluminados donde es de día. Cuando hemos salido de Frankfurt Europa estaba iluminado y la costa oeste de Estados Unidos oscura. Ahora se está extendiendo una sombra en Europa y en el Pacífico la luz.

El tiempo hace un trabajo similar. También en nuestro interior, las zonas que antes estaban oscurecidas de repente se iluminan. Las que estaban a oscuras durante la juventud, en la edad adulta se alumbran. Cuando eres joven importan algunas cosas, importan los amigos, importa la noche, importan los ideales. Y otro tipo de asuntos los mantienes completamente arrinconados. Ni sabes lo que son. La paternidad, por ejemplo. Hasta ahora ése ha sido un continente que ha estado completamente a oscuras para mí. Pero de pronto está amaneciendo, se está haciendo de día en una maravillosa tierra no conocida hasta ahora. E igualmente, la noche está alcanzando otros lugares, necesariamente.

14

NUUK

```
Distance to Destination: 2.061 miles
Time to destination: 4.04 hours
Local Time: 03.15 PM
Ground Speed: 506 mph
Altitude: 35.000
Outside air temperature: –67° F
Gothab, Reikiavik, St. Johns
```

Los jóvenes con las camisetas de jazz han pedido entre carcajadas su tercer vodka a la azafata L. Thompson. Ella les ha dicho que no. Al pasar la azafata S. Usko lo han intentado de nuevo. Pero nada de nada. «Hace ya tiempo que hemos cenado», se han quejado en vano.

—Qué felices parecen. En nuestra casa ya no hay esa alegría —me ha dicho Renata quitándose los auriculares—. Los hijos se fueron de casa para ir a la universidad. Cada cual tiene su vida. ¿Tú tienes hijos?

—Sí, el hijo de mi mujer vive con nosotros.

—¿Cuántos años tiene?

—Dieciséis.

—Entonces ya no es un niño.

—Nerea tuvo a Unai muy joven. Cuando fue a estudiar a Dinamarca.

—¿Cuándo os conocisteis?

—Nos conocemos de siempre. Pero hasta hace tres años no hemos estado juntos.

—Sí, la vida a veces nos lleva por distintos caminos. Cuando menos te lo esperas ocurre algo inesperado o aparece alguien de repente, y te cambia la vida de arriba abajo.

—Sí, pero en esas ocasiones también aparecen los miedos. A mí me daba miedo enamorarme de Nerea. Sabía que sucedería, pero me daba vértigo.

Según terminaba la frase me acordé de Aurelio Arteta. Quizá fuera el vértigo lo que llevó a Arteta a rechazar el encargo de realizar un cuadro sobre la masacre de Gernika para el pabellón de la República en la Exposición Universal de París. Quién sabe. Lo cierto es que al final cumplió su propósito de refugiarse junto a su familia en México, y eso es lo que cuenta.

Antes del exilio, Arteta lo muy pasó mal durante la guerra. Las tropas nacionales alistaron a su hijo mayor. Él, en cambio, militó en la resistencia. Junto a otros intelectuales, puso en marcha en Barcelona el «manifiesto contra la guerra», en colaboración con Antonio Machado, Luis Cernuda, Miguel Hernández y María Zambrano.

Para entonces el tema de todos sus cuadros era la guerra. La guerra una y otra vez.

Hastiado de las luchas internas entre los partidarios de la República, en 1938 marchó definitivamente a México con su mujer y sus dos hijos pequeños. Allí los acogieron en la casa de Francisco Belausteguigoitia y Elvira Arocena. Tenían todo un hotel para dar asilo a los exiliados vascos.

Arteta se había casado en segundas nupcias con Amalia Barredo, en 1929. Amalia había sido modelo y amiga del pintor durante muchos años, y finalmente se casaron. Amalia tenía un hijo anterior, Andrés, y juntos tuvieron otro, Aurelio.

Un domingo, el 10 de noviembre de 1940, Arteta recibió la mala noticia de que habían fusilado a un buen amigo suyo. Pensó que lo mejor sería sobrellevar el dolor en el campo, lejos del ruido. El matrimonio se subió a un tranvía y poco después sufrieron el accidente. Malherido, Arteta tuvo el tiempo justo para escribir una nota de despedida a su familia. Luego murió. Quería escapar de la muerte y la muerte lo atrapó allí donde menos lo esperaba. «Adonde vas, allá morirás», suele decir mi madre.

Indalecio Prieto fue de los primeros que visitaron la capilla ardiente. Lo admiraba mucho. No queda ninguna carta de la correspondencia entre Prieto y Arteta.

Las quemaron todas.

En respuesta a los bombardeos que la aviación franquista lanzó sobre Bilbao, y sin poder contener la sed de venganza, el 4 de enero de 1937 se asaltaron las cárceles de la capital vizcaína, a las cinco de la tarde. Querían matar a los presos nacionales que se hallaban dentro. Una de esas cárceles era la de Larrinaga.

Las autoridades trataron de detener la ofensiva pero no lo lograron. Cientos de personas murieron de manera salvaje esa tarde. Uno de los que cumplía pena en la cárcel de Larrinaga era mi abuelo Liborio. Aunque él se salvó. Se echó encima los cadáveres de sus compañeros y se ocultó. Así se libró de la muerte. Luego, se aprovechó de la confusión y escapó al monte por Begoña.

Cuando huían por una ladera, sin embargo, a un pobre hombre que se había escapado con él, llamado José Luis Meler, le dieron un tiro.

Liborio se lo echó al hombro y lo condujo a un sitio seguro.

Años más tarde, el mayor de los hijos de Liborio, mi padre, fue también apresado pero por razones bien diferentes. Un guardacostas británico capturó su barco porque supuestamente faenaba en sus aguas de forma ilegal.

Para saber cómo habían apresado al barco *Toki-Argia*, un amigo de mi padre, Jon Akarregi, me indicó que lo mejor era que hablara con Isidor Etxebarria. Akarregi había trabajado en Angola, en los grandes barcos que capturan el atún. Cumplió muchas campañas allá. Pero también hizo costeras con mi padre en Rockall.

En una de aquellas costeras que compartieron juntos, mi padre le contó cómo los llevaron la primera vez a Stornoway. Sucedió durante las primeras campañas en Rockall, en aquella lejana década de los setenta, y mi padre y Justo Larrinaga se disponían a probar los aparejos como de costumbre. Entonces se les acercó un barco de guerra. Era la primera vez que les ocurría. Enviaron una zódiac para inspeccionar el pesquero, y el capitán del barco de guerra ordenó que les tiraran la escalera. El patrón, Justo, mandó que no la tiraran. El capitán, por segunda vez, exigió que bajaran la escalera para que pudieran subir los soldados. Vigilaba la operación a través de unos prismáticos. Justo se negó. A la tercera, el capitán dijo «*To Stornoway*» y los llevaron a puerto.

Ésa fue la primera vez que estuvieron en Stornoway. Entonces no les ocurrió nada. Los dejaron libres inmediatamente. Pero la situación que aparece en el cuadro de Miguel fue muy diferente. En esa ocasión los llevaron a juicio y todo. Yo había oído algo en casa, y recuerdo que mi madre se puso muy nerviosa cuando llamó la tía Margarita y anunció que mi padre estaba preso.

Aun así, necesitaba datos concretos.

El abogado Isidor Etxebarria se encargaba de los barcos que eran apresados. Nada más entrar en su casa de San Sebastián el abogado nos enseñó a Nerea y a mí el periódico. «Mirad lo que viene en el periódico», y nos señaló la página de las esquelas.

MISA Y AGRADECIMIENTO

Fabián Larrauri Astuy

«ASMOR»

(Q.E.P.D.)

Falleció el 17 de junio del 2008, a los 87 años de edad, habiendo recibido los Santos Sacramentos y la bendición de su Santidad.

SU FAMILIA

AGRADECE los testimonios de pésame recibidos por todos, así como la asistencia a los actos piadosos celebrados por el sufragio de su alma.

Fabián Larrauri era el armador del barco *Toki-Argia*. «El mismo día que habéis venido a hablar del *Toki-Argia* han publicado su esquela. He pasado muchos años sin escuchar nada relacionado con el barco y en el mismo día coinciden dos hechos.»

Isidor había preparado perfectamente lo que debía contarnos. Antes de explicarnos el arresto del barco, nos aclaró cómo era en aquella época la situación jurídica. «En aquellos años había en el puerto de Ondarroa más de doscientos barcos.» Y luego comenzó a hablarnos de los derechos de la pesca. «En un principio, las aguas territoriales no abarcaban más que tres millas. A partir de esas tres millas, el mar era de todos.»

Era muy curioso el modo de determinar las aguas territoriales. Se marcaban según el alcance de una bala de cañón situado en tierra. Dependiendo de hasta dónde llegara el proyectil, así se delimitaba el mar territorial. Poco a poco, los cañones se fueron mejorando y lo que en un principio fueron tres millas, luego pasaron a seis, y más adelante a nueve.

En 1976 lo establecieron en doscientas millas. Fue decretado por los estados que en ese momento formaban la Comunidad Europea, entre ellos Gran Bretaña. La legislación en materia de pesca pasó a manos de Bruselas. Las aguas que durante muchos años habían sido libres, se convirtieron en europeas, incluida la zona de la isla de Rockall donde faenaba mi padre.

Para aplicar la ley de las doscientas millas era necesario que la isla estuviera habitada. En Rockall no ha vivido nunca nadie, porque es imposible. En St. Kilda sí, sin embargo. Hasta la década de los treinta vivió gente en esa isla. Y como Rockall está dentro de las doscientas millas de la isla de St. Kilda, no se podía pescar allí sin autorización.

En la primavera de 1982 un avión de la armada británica sacó una fotografía al *Toki-Argia* cuando pescaba sin autorización en las inmediaciones de Rockall, y envió la sanción a la corte de Bruselas y a los guardacostas de Stornoway. Como para entonces el *Toki-Argia* estaba de vuelta a casa, hubieron de esperar a la siguiente campaña para ir en busca del barco.

Transcurrió un año y el *Toki-Argia* faenaba de nuevo en aguas de Rockall. Un día de esos, el buque *Jura* al mando del capitán Ratery capturó el *Toki-Argia* y lo llevó preso al puerto de Stornoway.

Tras pagar una multa de doscientas mil libras, dejaron libres a los marineros, a la espera del juicio. Lo que había ocurrido hasta ese momento en los juicios similares era lo siguiente: aceptaban que eran culpables, pagaban la multa y regresaban a casa. Se enviaba a Bruselas los nombres de los barcos y entraban en una lista negra. Como consecuencia de esto, se les quitaba el permiso para pescar en la siguiente campaña.

Isidor tuvo la suerte de su parte en el caso del *Toki-Argia*. El juicio se retrasó de improviso: los dos pilotos del avión habían ido a la guerra de las Malvinas y no podían prestar declaración hasta volver de la guerra. Ese espacio de tiempo le dio al abogado la oportunidad de pensar y de preparar mejor la defensa. Lo normal era confesar que eran culpables y pagar la multa, pero en esta ocasión prepararía una defensa en toda regla.

La principal alegación aducida sería la siguiente: el barco de la fotografía no podía ser el *Toki-Argia*, sino otro. Y es que Bruselas no concedía permiso para hacerse a la mar a ninguno de los barcos atrapados fuera de la ley que figuraban en su lista negra. Pero el *Toki-Argia* tenía todos sus papeles en regla cuando el 22 de mayo de

1982 fue apresado por el barco *Jura*. Por una parte, tenía los permisos para faenar, y además no figuraba en la lista negra de Bruselas. De hecho, a Bruselas se le olvidó notificar al *Toki-Argia* la prohibición para navegar. Etxebarria aprovecharía ese error burocrático.

Etxebarria pidió a nuestro padre que se declarara inocente ante el sheriff de Stornoway. El fiscal, Scott, por el contrario, decía que eran culpables, y para probarlo llevó a declarar a los dos pilotos de la RAF.

Al final los declararon «no culpables». Ése fue el primer juicio que ganó Etxebarria. Todos los que tomaron parte en el juicio viajaron juntos en el vuelo de Stornoway a Glasgow. El avión era tan pequeño que todos hablaban entre ellos. El piloto de las Malvinas le comentó a mi padre sonriéndole, «*you know you were there*». Sabes que estabais allí. Mi padre también le sonrió.

El juicio tiene otro detalle curioso. Como habían pagado la multa de doscientas mil libras, las autoridades escocesas debían devolver el dinero a los armadores. El caso es que la moneda de aquel entonces, la peseta, había bajado su cotización y los Larrauri de Bermeo acabaron ganando dinero.

«Si vais a Stornoway, preguntad por Angus MacLeod. Él os contará más sobre este caso», nos dijo Etxebarria al despedirnos.

15

ST. KILDA

La isla de St. Kilda es el trozo de tierra que más cerca está de Rockall. Hasta 1930 vivió gente allí. Cuando salieron de la isla sus últimos habitantes, se acabó una vida de dos mil años; el 28 de agosto de 1930, más concretamente, cuando, en un día soleado, cogieron sus cosas y dejaron la isla, para siempre. En aquel momento habitaban menos de cuarenta personas en el pueblo. Los jóvenes habían emigrado en busca de nuevas tierras y ya no quedaban sino ancianos en la isla.

Los vestigios de St. Kilda, sin embargo, son muy antiguos, de la época neolítica. Durante quinientos años la isla fue propiedad de la familia MacLeod. Una vez al año, en verano, el enviado del propietario viajaba a la isla. Entonces, cobraba el alquiler y llevaba al archipiélago aquello que necesitaban sus moradores. Es curioso comprobar las peticiones de los habitantes de la isla. Pedían vacas y aperos de labranza, pero también ropa. En un documento del siglo XVIII, por ejemplo, figura el encargo de una docena de sombreros para hombre.

Es muy llamativa la relación que tenían con la moda en aquella apartada isla. A finales del siglo XIX parece ser que llegaron turistas ricos a pasar allí el verano. Resultaba exótico viajar a la isla más remota de Gran Bretaña. En una ocasión, una mujer se quedó de piedra cuando al llegar al puerto encontró a una isleña vestida a la última, según dictaba la moda de Oxford Street. Aquella mujer iba más moderna que todos los turistas que llegaban en el barco. Preguntaron a la mujer cómo había conseguido aquella ropa y ella respondió que el verano anterior se la había cambiado a una turista. La isleña quería ser más moderna que nadie.

Aquel barco que una vez al año visitaba la isla fue, durante siglos, el único contacto de sus habitantes con el mundo civilizado. Para enviar correo construían unos barquitos con tablas de madera, como si fueran de juguete. Introducían dentro la carta y un penique, y lo echaban al mar con unas instrucciones. En el exterior se leía, «*Please, open*».

Los días que soplaba viento del noroeste echaban el barquito al agua y llegaba a tierra en el norte de Escocia o en Noruega.

Comenzaron a utilizar los barquitos-correo en 1877. En febrero de aquel año, el barco austriaco *Peti Dubrovacki* naufragó y los isleños salvaron a los marineros. Pero a medida que avanzaba el invierno comenzó a escasear la comida y a un tal John Sans se le ocurrió la idea del barquito-correo. El barco postal iba destinado al cónsul austriaco en Glasgow. Nueve días más tarde recogieron en el norte de Escocia la carta y se la entregaron al cónsul.

El buque *HMS Jackal* apareció por St. Kilda a los pocos días y recogió a los marineros austriacos.

El siglo XX trajo el cambio a St. Kilda. El modo de

vida de dos mil años se interrumpió en aquel momento. Durante siglos los isleños habían vivido de la ganadería y de las plumas de los pájaros. Pero la llegada del turismo cambió su modo de vida de arriba abajo. Dejaron de labrar la tierra, de desplumar aves y de cuidar el ganado y se dedicaron al turismo. Se les olvidaron los modos de subsistencia de otros tiempos.

Eso hasta que abandonaron la isla.

La decisión de abandonar la isla se tomó a consecuencia de una enfermedad. Sin embargo, la enfermedad no era grave. Una simple apendicitis desencadenó el abandono de la isla. En enero de 1930 una mujer llamada Mary Gillies sintió un fuerte dolor de tripas. En ese momento había un carguero en el puerto y enviaron un aviso alertando de que la mujer estaba enferma. Hasta el 15 de febrero no la trasladaron al hospital de Glasgow. Allí murió la mujer.

Los isleños se tomaron muy mal la muerte de Mary y decidieron, reunidos en asamblea, de acuerdo a las antiguas tradiciones, abandonar la isla. Para entonces, solamente quedaban quince hombres y veintidós mujeres. Los restantes ya habían emigrado, a América o a Australia.

Los más viejos no querían salir de la isla. Pidieron a sus familiares que les dejaran en su tierra, que allí querían morir junto a sus parientes y amigos ya fallecidos.

Por lo que parece, los habitantes de St. Kilda se adaptaron muy mal a su nueva existencia. Jamás olvidaron la vida que llevaban en aquella apartada y tormentosa isla.

He buscado en la pantalla alguna distracción. He pulsado en el apartado de música. He seleccionado «Norah Jones: Live». Ha aparecido Norah Jones tocando el piano en un teatro. Batería y contrabajo. La cantante de Brooklyn ha comenzado a cantar.

> *I waited 'til I saw the sun.*
> *I don't know why I didn't come.*
> *I left you by the house of fun.*
> *I don't know why I didn't come.*
> *I don't know why I didn'come.*

Miro a la gente del avión. La gran mayoría están dormidos. Renata también. Personas de muchos países del mundo juntas en esta cabina.

En mayo cené en Nueva York con la editora Fionna Mac Rae. Quedamos en un restaurante italiano llamado Fiorello's. Justo al lado del Lincoln Center, en Broadway. En las mesas había unas placas con nombres y apellidos. En esta mesa se sentaba tal, esta mesa era el rincón de la familia cual. El restaurante estaba lleno hasta los topes. Acababan de salir de la ópera.

Le expliqué a Fionna el proyecto de la novela. La idea había tomado cuerpo, y al final se estructuraría en torno a un vuelo entre Bilbao y Nueva York. El reto consistía en hablar de tres generaciones distintas de una familia, sin volver a la novela del siglo xix. Expondría el proyecto de escritura de la novela, y fragmentariamente, muy fragmentariamente, historias de esas tres generaciones.

«Así vivo yo también, en un avión», me dijo Fionna. «Soy galesa, tengo la oficina en Saint Paul y mi marido es de Nueva York.»

Unos viven en aviones, otros en barcos. Hace poco, en el pueblo, encontraron a un marinero ahogado en el puerto. El suceso pasó casi inadvertido. El marinero era inmigrante y vivía en el barco mismo. Tenía nombre y apellidos pero no tenía casa. El barco donde trabajaba era su vivienda. Cuando alguien quería encontrarle tenía que ir a la chalupa. No se supo muy bien cómo murió el hombre; parece ser que quiso entrar de noche en el barco y resbaló. La mala suerte. Y murió entre los barcos de hierro. De todas maneras, no quedó nada claro. Aquel hombre vivía en su embarcación pero no era el único, aunque parezca mentira. Son muchos los marineros que todavía hoy viven en los barcos. Allí trabajan y allí también tienen su modo de vida, incluso cuando el barco está atracado en puerto. De vez en cuando saltan a tierra, dan una vuelta por el bar, dejan atrás por un momento la soledad, y de noche vuelven a su camarote a dormir.

Siempre me ha parecido terrible la vida de esos marineros sin casa. Viven en un bote y no tienen raíces en tierra. El barco está en el puerto, sobre el agua, y el marinero no cruza la frontera, como si no quisiera amarrar su vida a ese puerto. Su vivienda es provisional. Su casa no está construida sobre la tierra. Las columnas de la casa no son firmes. Ni aquí ni allá, siempre sobre el agua.

Unos pocos, sin embargo, cruzan la frontera del muelle. Estaba de vacaciones una vez en Andalucía, y me ocurrió una cosa curiosa. Conversaba con unos jóvenes y, cuando les dije de dónde era, uno de ellos me contó que él de pequeño había vivido en Ondarroa. Casualidades de la vida. Cuando sus padres llegaron al País Vasco, no tenían casa y dormían en el almacén del puerto. Allí mismo, entre las redes, hacían la cama. Eso me contó. Y que su hermana la mayor había nacido allí, en el almacén y entre las redes, como si fuera una pequeña sirena, con olor a pescado y todo. Después de trabajar unos años en la costa cantábrica se volvieron todos a Andalucía. Todos menos la hermana, que se quedó a vivir en el País Vasco.

Hubo quienes dejaron el barco y el puerto y consiguieron formar un hogar allí. Al principio vivían con otros marineros todos juntos, y luego en solitario. Al cabo de unos años, algunos de ellos se casaron y tuvieron hijos. Hoy en día sus hijos hablan euskera.

He salido del apartado de la música y he entrado en el de las películas en la pantalla del avión.

Puedo elegir entre cuatro films:

Entre les murs. Francia. 128 min. Laurent Cantet (François Bégaudeau, Nassim Amrabt, Laura Baquella). *Delta*. Hungría. 92 min. Kornél Mundruczó (Félix Lajkó, Orsolya Tóth, Lili Monori). *Changeling*. EE. UU. 140 min. Clint Eastwood (Angelina Jolie, John Malkovich, Jeffrey Donovan). *The Tale of Desperaux*. EE. UU./U.E. 90 min. Sam Fell, Gary Ross, Robert Stevenhagen.

He elegido la primera película, *Entre les murs*.

ENTRE LES MURS. *Francia. 128 min.*

Laurent Cantet (François Bégaudeau, Nassim Am-rabt, Laura Baquella).

2008. Festival de Cannes:

Palma de oro / Drama / SINOPSIS: François es profesor de lengua francesa en el instituto de un barrio conflictivo. Sus alumnos tienen catorce y quince años. François tiene discusiones con Esmeralda, Souleymane, Khoumba y el resto de alumnos a propósito de la lengua.

Es una película de ficción con forma de documental. Tiene como protagonistas a veinticuatro jóvenes. Ninguno es actor profesional. Los jóvenes estudian educación secundaria en el instituto Françoise Dolto de París.

He pulsado en la pantalla y ha empezado la película. Se oye una sirena y un profesor golpea en la mesa para hacer callar a los alumnos. El símbolo de la palma de oro de Cannes. Los alumnos hacen preguntas al profesor. *Entre les murs*. Los alumnos enfadados entre ellos. *Un film de Laurent Cantet*. Los alumnos en el patio. *Libre adaptación de la novela de François Bégaudeau*. Los profesores debatiendo en la sala de profesores. *Entre les murs*.

Los alumnos tienen la edad de Unai. Recuerdo el día que por primera vez me envió un mensaje al móvil. ¡Qué alegría! Durante meses fui yo el que le enviaba a él los mensajes. Mensajes corrientes, para dar avisos y así. Llegaré a tal hora, a tal otra repasaremos la lección. Él los recibía, sí, pero no respondía. Hasta que finalmente me respondió. El contenido del mensaje era lo de menos, una frase del tipo «de acuerdo» o «allá estaré». Pero el hecho de recibir un mensaje suyo fue muy importante para mí.

El 2 de setiembre enfermó nuestro padre. Fue la última vez que mis padres fueron al cine. Antes de salir de casa les sacamos una foto. La última foto que tienen juntos. Al volver de allí se sintió mal. Lo llevaron al hospital. Pancreatitis. Un par de días en planta. Luego a la unidad de cuidados intensivos. Todos los días íbamos a visitarlo. Media hora por la mañana, media hora por la tarde.

Normalmente solía hablarnos, aunque estuviera triste.

En una de las visitas mi padre nos contó que había hecho repaso de su vida y que había una cosa que le gustaba y otra de la que se arrepentía. Estaba contento porque en todos los años que había pasado en el mar no había perdido ningún hombre. Jamás se le había muerto nadie, todos volvían a casa tras cada costera, a pesar de haber navegado entre las olas más grandes.

Lo único de lo que se arrepentía es de que una vez agarró del cuello a su padre.

139

16

UN MENSAJE DE FACEBOOK

Aquel hombre que cuando le quedaban pocos meses de vida llevó a mi madre al museo, que juntaba a los niños de la calle para contarles cuentos, un hombre bueno y generoso, estaba en la cárcel, según constaba, por apoyar el alzamiento franquista. Al principio la acusación se me hacía muy dura. No podía entenderlo.

Pero luego me di cuenta de que el contexto tiene mucha importancia en la vida de una persona, y ese contexto condiciona las decisiones que se toman. Aunque puedan ser de un modo incorrecto.

Cuando comencé con la idea de la novela, el personaje del abuelo Liborio se me antojaba, al mismo tiempo, incómodo y atractivo. Mi propio abuelo había optado, en un momento dado, por el alzamiento franquista, aquel que tanta barbarie trajo consigo. Podría haber hablado de mi otro abuelo, Hipólito Urbieta, un hombre cabal y sensato que, al igual que otros muchos hombres del pueblo, tuvo que huir en un barco la madrugada anterior a la entrada de las tropas nacionales dejando solas a su mujer y a sus hijas. Su mujer, la abuela Amparo, la que se defendía de los soldados italianos con un hacha.

Podría haber hablado de Hipólito y callar la historia de Liborio. Pero el personaje de Liborio me atraía mucho más a la hora de escribir la novela. Un personaje contradictorio que me creaba multitud de interrogantes. ¿Por qué optó por el alzamiento un hombre de Ondarroa que casi no hablaba castellano? ¿Por qué se posicionó a favor de Franco cuando su propio hermano, Domingo, optó por defender la República? ¿Qué fue realmente lo que hizo que tomara esa decisión?

Nunca lo sabré.

De todas maneras, sentía la necesidad de contar la historia del abuelo Liborio, de no seguir obviando una realidad tantas veces silenciada. La guerra civil fue también una guerra entre vascos. No fue una mera invasión de las tropas franquistas. Debía verbalizarlo, exteriorizar que uno de mis abuelos optó por el bando incorrecto. Aunque me pesara mucho.

Cuando el abuelo Liborio estaba en la cárcel, mi abuela Ana tenía un niño de un año, mi padre, y estaba embarazada de mi tío. Estaba sola en casa y a duras penas podía ir a visitar a su marido a la cárcel. De eso se ocupaba la tía Maritxu. Ella le llevaba, sin falta, la comida y la ropa.

La tía Maritxu trató de disculpar a Liborio. Me aseguró que a mi abuelo lo metieron en la cárcel por envidia, por los celos que había en el pueblo. Tenía más peso la maldad que la política. Apareció en una lista de adeptos al alzamiento y lo denunciaron.

Santi Meabe dio la orden de encarcelamiento.

Además, decía la tía, una vez que se hubo escapado de la cárcel no quiso saber nada más. José Luis Meler, el hombre al que Liborio salvó cuando huían de la cárcel de Larrinaga, prometió a Liborio que lo ayudaría a conseguir una buena posición social, y que le conseguiría dinero si quería. Pero Liborio no le pidió jamás ni un céntimo.

En la calle Iparkale, en aquella época Comandante Velarde, en la casa del número 12, cada habitación estaba pintada de un color, como en el barrio La Boca de Buenos Aires, utilizando las pinturas sobrantes de los barcos.

Los abuelos, además de a sus hijos, acogían en la casa a otras dos personas. Las dos pasaban el día en la cárcel de Saturrarán. Uno era Javier, el militar, y la otra, Carmen, asturiana, hija de una presa. Por si fuera poco, ellos también se encargaban de la comida de la madre de Carmen. El número 12 de la calle Iparkale era la dirección que Carmen llevaba escrita en un papel cuando llegó por primera vez a Ondarroa.

Carmen se llevó una gran sorpresa cuando bajó del autobús y vio que todos los hombres iban vestidos de mahón. Se dio un susto tremendo. Pensó que todo el pueblo era falangista, en lugar de pensar que eran pescadores.

«Vete a esta dirección y pregunta por Joxpantoni.» Joxpantoni Osa era la madre de Liborio. Era una mujer grande y recia, y se casó en terceras nupcias con nuestro bisabuelo, José Uribe. Conservamos una foto suya. Está cosiendo redes en el puerto, junto a otras mujeres rederas. Es, con diferencia, la más corpulenta de todas, casi parece una gigante.

Ella era fuerte y alta, y José, en cambio, muy pequeño. «Seré muy pequeño, pero al final logré que la gran Joxpantoni se casara conmigo», proclamaba él orgulloso. Aunque fuera en terceras nupcias.

No sé cómo le recomendaron los del Partido Comunista a Carmen que fuera a esa casa de la calle Iparkale a buscar cobijo. No sé quién era su contacto, ni quién la mandó.

Pero a decir verdad, dónde iba a estar más segura que en la casa de un héroe de guerra.

En Nueva York me gusta un pequeño museo. No es tan conocido como el MOMA o el Metropolitan pero de verdad que merece la pena ir. Es un museo hecho a escala humana. De hecho, es una casa. Está situado en un lateral de Central Park. En él se muestra la colección de arte del industrial Henry Clay Frick.

Por todas partes se pueden ver obras de autores conocidos, Goya, Vermeer, Turner, Monet y otros. El museo era una vivienda y los cuadros están distribuidos por las habitaciones. En el salón está el cuadro de Giovanni Bellini titulado *San Francisco en el desierto*. Pintado en 1480, describe el día que San Francisco vio la luz. El mismo santo que entendía el idioma de los pájaros. El Padre San Francisco está mirando al cielo, y a su lado tiene un burro y un rebaño de ovejas que no se enteran de nada.

Pero el detalle más curioso de la obra es el trozo de papel situado en una esquina. El viento ha llevado el papel desde la casa del santo hasta la parte izquierda del cuadro. En el papel pone «Giovanni Bellini». En el cuadro aparece el nombre del propio artista.

Ese detalle del cuadro me hizo pensar sobre el proceso de construcción de la novela. Cómo hablar de quienes te rodean sin que aparezca uno mismo. Quería hablar de mi abuelo, de mi padre, de mi madre. Novelar mi mundo, llevarlo al papel. Pero ¿cómo hacerlo? ¿Debía inventar nombres ficticios o aparecería yo como narrador de la novela?

El cuadro de Bellini no es el único donde aparece el nombre del propio pintor. Años antes, en 1434, Jan van Eyck introdujo una frase en uno de sus cuadros más famosos, *El matrimonio Arnolfini*. Van Eyck escribió en dicho lienzo: «Johannes de Eyck fuit hic 1434», Jan van Eyck estuvo aquí. La obra del pintor flamenco fue toda una revolución en su época. Era la primera vez que se retrataba la escena cotidiana de un matrimonio burgués dentro de su cuarto. Aparecen zapatillas y un perro. En la pared posterior de la habitación hay un espejo convexo y en el espejo se ve al matrimonio por detrás. Es encima del espejo donde aparece la frase.

La idea del espejo inspiró años más tarde a Diego Velázquez en la ejecución de sus *Meninas*. En las *Meninas* aparece el propio Velázquez pintando un lienzo. La infanta y sus acompañantes están mirando la escena. Al igual que en el cuadro de Van Eyck, en el de Velázquez también aparece un espejo en el fondo del cuadro. En ese espejo está reflejada la escena que está pintando el pintor, es un retrato de los reyes.

Velázquez pinta así lo que hay detrás de un cuadro, nos muestra cómo se pintaba un lienzo en su época, nos revela el artefacto. Pues bien, pensé que yo debía mostrar lo que hay detrás de una novela, enseñar todos los pasos que se dan a la hora de escribirla. Las dudas, las incertidumbres. Pero la propia novela no aparecería en la novela. Tan solo el lector podría intuirla, como intuye el espectador el retrato de los reyes que pinta Velázquez en las *Meninas*.

No quería construir personajes de ficción. Quería hablar de gente real.

El verano pasado leí en la prensa una entrevista que le hicieron a la actriz Meryl Streep. Vino al festival de cine de San Sebastián y los de la prensa le plantearon la siguiente cuestión.

¿Cuál sería la mejor pregunta que podríamos hacerte y cuál su respuesta? Meryl Streep respondió lo siguiente sin pensárselo dos veces: «¿Hoy en día sirve para algo la ficción?» Ésa era la pregunta que le importaba. Y su respuesta fue ésta: «Si cuenta cosas verdaderas, sí.»

El escritor David Foster Wallace se suicidó el 12 de setiembre. Su mujer lo encontró al día siguiente. Sólo tenía cuarenta y siete años. Foster Wallace se hizo famoso en todo el mundo con *The Infinite Jest / La broma infinita*, un libro de más de mil páginas. Foster Wallace habla en su novela sobre el futuro, un futuro en el que a los años, en lugar de ponerles números, el 2008, por ejemplo, se les pondrá el nombre de un patrocinador, «Depend, el año de la ropa interior para la gente mayor».

Foster Wallace era innovador, amaba la experimentación, pero en una de las últimas entrevistas que le hicieron afirmó lo siguiente: «Lo esencial es la emoción. La escritura tiene que estar viva, y aunque no sé cómo explicarlo, se trata de algo muy sencillo: desde los griegos, la buena literatura te hace sentir un nudo en la boca del estómago. Lo demás no sirve para nada.»

Tenía un mensaje del escritor Kevin MacNeil en el Facebook. «Por desgracia, esos días estaré fuera del pueblo, en las islas Shetland.» MacNeil era el escritor de Stornoway. Jamieson me regaló un libro suyo en Estonia, un libro de poemas y aforismos. Cumpliendo un viejo deseo de nuestra madre decidimos ir a Stornoway en junio, y le escribí a Alan Jamieson a Edimburgo. Le preguntaba con quién podríamos hablar en Stornoway. Queríamos que alguien nos enseñara el pueblo, conocer más de cerca aquellos rincones.

La respuesta de Alan fue rápida y directa: hablad con Kevin MacNeil.

MacNeil relaciona la escritura con el robo. Escribir es tan emocionante y peligroso como robar. En el libro que me regaló Alan, Kevin cuenta que su padre era ladrón. Debía de tener unos dedos muy ágiles, tan ágiles que incluso comía la sopa con los dedos.

Cuando el joven Kevin se dio cuenta de que su padre estaba envejeciendo, quiso aprender su oficio. Le pidió a su padre que le enseñara el arte de robar. El padre estaba muy contento. Llevó a su hijo a una casa.

Saltaron la verja de hierro, entraron en la casa y encontraron un gran baúl. El padre le dijo: métete dentro y no te preocupes por los peligros, coge solamente el vestido más elegante. Cuando hubo entrado en el baúl, el padre lo cerró, y se escapó saltando por una ventana. Luego golpeó en la puerta de la entrada. Los dueños se despertaron. El padre saltó la verja de hierro y se escapó.

Kevin estaba dentro del baúl, sin poder hacer ruido y maldiciendo a su padre. Pero tuvo una idea. Comenzó a hacer el ruido que suelen hacer los ratones en los desvanes. Cuando lo oyó, el propietario mandó al hijo que mirara en el baúl a ver si había ratones. Tan pronto como el hijo del dueño lo abrió, Kevin sopló la vela que éste llevaba en las manos. Así salió del baúl, en la más completa oscuridad.

Pero Kevin sabía que todos los de la casa comenzarían a buscarle. Miró por la ventana y vio abajo un pozo. Tiró una piedra. Los de la casa pensaron que era el ladrón que escapaba.

Él se escapó por otro lado y cuando Kevin llegó a casa,

su padre estaba esperándolo. Lo encontró con un vaso en la mano, muy feliz. «¡Has aprendido el arte!», le dijo y le dio a Kevin otro vaso para brindar. Entonces decidió que no sería ladrón sino escritor.

El mensaje del Facebook que me mandó MacNeil seguía así: «Si como dices, queréis hablar con algún viejo marino, id a las tabernas del puerto. Pero cuidado, id a las que ponga *Bar* y no a las que ponga *Lounge*. Los marinos de verdad no van jamás a los *lounge*. ¡Buena suerte!»

Le hicimos caso a Kevin y cuando estábamos en Stornoway entramos en una taberna, de esas en las que ponía «Bar». No recuerdo el nombre. No ponía nada fuera. Había un pequeño cartel pintado de rojo al lado de la puerta: «Este establecimiento no es exclusivamente para beber. Los que vienen a leer el periódico son bienvenidos.» Pero dentro no leía nadie. En cambio, beber, bebían hasta por los codos.

Jamieson me recomendó que comprara dos libros en la pequeña librería de Stornoway. Uno, el de Kevin: *The Stornoway Way*. No lo encontramos. El que sí compré era el segundo libro que me aconsejó. Era un clásico escocés, *Tales and Travels of a School Inspector*. Cuenta las visitas realizadas por el profesor John Wilson a las escuelas de los pueblos pequeños de Escocia en el siglo XIX.

Wilson estuvo en Stornoway. Cuenta muchas cosas respecto al modo de vida del siglo XIX. Cuenta Wilson que Stornoway era un pueblo grande, de hecho era el mayor de la isla, pero los profesores allá destinados tenían grandes dificultades para entenderse con los alumnos del lugar. Los niños hablaban en gaélico y el profesor no sabía más que inglés.

Los días que Wilson estuvo en Stornoway sucedió algo extraño. A media hora de Stornoway, en el extremo norte de la isla Lewis, había un faro. Los marinos estaban extrañados pues se habían dado cuenta de que el faro alumbraba también de día. Temían que le hubiera ocurrido algo al farero. Entraron en el faro y lo encontraron muerto. Todo parecía indicar que había sido un robo. El faro alertó a los habitantes de la isla de que algo grave había sucedido. Como cuando enferma el amo y el perro aúlla.

Me resultó llamativa en el libro de Wilson una cosa: los escoceses creían que la lengua de Tubal era el gaélico, igual que los vascos.

17

EN MEDIO DEL ATLÁNTICO

El patrón de barco apenas duerme. Permanece largas horas despierto. Así le ocurrió aquella noche al padre de un amigo. Navegaba en un gran barco de Bermeo en la zona de África. De noche, fijaba un rumbo, ponía el piloto automático y se iba al camarote a dormir una siesta de tres o cuatro horas.

Era el sueño de la liebre, con un ojo abierto y el otro cerrado, por lo que pudiera pasar.

El barco avanzaba a baja velocidad. Estaba dormido cuando un imprevisto lo despertó. El barco se había parado. El hombre no podía creerlo ya que estaban en mitad del Atlántico.

Era probable que se hubiera averiado el piloto y que las olas arrastraran el barco hacia la costa. La parada, sin embargo, no había sido brusca. Ni tampoco hizo ruido al detenerse. Si hubiera pegado contra una roca del fondo se habría oído un estruendo. Miró por el puente y no distinguió nada anormal en la oscuridad de la noche, ni rocas, ni tierra a la vista. Al acercarse a la proa del barco se dio cuenta de que había algo oscuro en el agua. Dio marcha atrás y encontró la razón por la que el barco se había detenido.

Era una ballena, partida en dos.

El marino no podía creerlo. ¿Qué hacía allí una ballena? ¿Por qué no se había apartado de la ruta del barco, como hacían siempre? Entonces comprendió que la ballena se había suicidado y que había elegido hacerlo en medio del océano.

El avión está cruzando el Atlántico, como una ballena. Una niña ha pasado corriendo a mi lado. Me ha dado en el hombro. Se ha dado la vuelta y me ha pedido perdón. Es rubia y con gafas. *Little Miss Sunshine.* Me ha recordado a la protagonista de aquella película. La vimos en San Sebastián en los multicines Príncipe. Nerea, Unai y yo. Unai no quería ver esa película. Creía que era para críos. Su madre le decía que teníamos que verla juntos. De morros, pero al final accedió. Al entrar en la sala no había nadie. Tuvimos que estar esperando media hora larga. Lo que nos faltaba. Con la discusión que habíamos tenido en la entrada del cine nos equivocamos de hora. La espera fue más corta de lo que pensábamos. Comimos palomitas de maíz.

A Unai le gustó mucho la película.

La cita con Elizabeth Macklin era a la siete en el bar Six. Era mayo. En la calle 59 debía coger la línea A del metro y bajarme tres paradas más adelante, en la calle 14. La parada se hallaba muy cerca del bar Six. Como no sabía calcular bien las distancias llegué al bar un cuarto de hora antes. Pedí una cerveza en la barra. Busqué entre los periódicos y revistas que había en el extremo de la barra y encontré la revista semanal *The New Yorker*. Quería mirar las tiras de humor.

—¿Cómo usted por acá? —me preguntó el camarero, en perfecto español. Era colombiano y estudiaba arte dramático. Por la apariencia, debió de sospechar que sabía castellano. Hablamos de su país, de su literatura.

A las siete en punto Elizabeth entró en el bar. Me vio hablando con el camarero y me dijo «qué pronto te has vuelto un newyorker».

Estábamos invitados a cenar en casa de José Fernández de Albornoz y Scott Hightower. En el Village de Nueva York. La casa era impresionante, de dos pisos. En la planta baja estaba el salón, la cocina y una habitación. Subías unas escalerillas y arriba estaba la biblioteca, y la puerta que daba de la biblioteca a la terraza.

Desde la terraza se veía la noche de Nueva York, las luces de los edificios. «Criaturas de la luna.» Lorca las llamaba así.

La casa estaba decorada con muebles antiguos, y repleta de cuadros. Entre los cuadros había un dibujo de Jean Cocteau y un grabado de Picasso. «En una época los grabados de Picasso se podían conseguir muy baratos en los mercadillos ambulantes», me dijo José.

De todas maneras, su cuadro preferido lo habían colgado en la sala. Tenía colores rojos y naranjas. Lo mejor, sin embargo, era la historia que escondía. Scott, cuando era joven, se escapó de su Texas natal, llevándose tan sólo consigo una mochila y un cuadro. En la mochila, ropa y comida. El cuadro era de un amigo, para que en caso de necesidad lo vendiera.

No lo vendió jamás.

Mientras contemplaba ese cuadro anónimo, pensé que describía mi vida mejor que ningún otro. Si el cuadro del abuelo era el mural de Arteta, y el de mi padre, el que le regaló Miguel sobre el apresamiento de Rockall, aquel lienzo del amigo de Scott se convertiría en mi preferido.

Scott Hightower es profesor de literatura inglesa en la Universidad de Nueva York. José Fernández, en cambio, es médico. José es sobrino de la escritora asturiana Aurora de Albornoz. Aurora tuvo que huir de España a Puerto Rico tras la guerra.

Cuando me enseñó la biblioteca, José puso en mis manos su pieza más preciada. Era una carta de Neruda, dirigida al poeta Gabriel Celaya. La carta era muy cariñosa. Para terminar le decía a Celaya que quizás no volverían a verse, pero que no importaba. Que se verían cada vez que un chileno y un vasco se encontraran.

En la fiesta nos reunimos unas cuantas personas, la mayoría escritores. Entre ellas el profesor Mark Rudman, los poetas Marie Ponsot y Philis Levin y el director de cine Vojtech Jasny.

Mark me habló de su mujer, que no era del mundo de las letras, sino matemática. «Nos llevamos estupendamente, lo que yo no tengo lo tiene ella y al revés.» Me reí antes de explicarle que Nerea también trabajaba con los números. Trabaja en un banco. Y le conté que un cliente, cada vez que ella lo atiende, le entrega un papelito con palabras antiguas escritas en él. «Hace tiempo que no he oído esta palabra», le dice, y a continuación le pide a Nerea que la guarde. El marino retirado le lleva palabras, refranes, nombres de peces. En el sitio donde se guarda el dinero él pone a salvo las palabras antiguas.

La poeta Marie Ponsot no habló demasiado, se quedaba en silencio escuchando al resto. De todas maneras, cada vez que hablaba pronunciaba frases dignas de recordarse siempre.

Marie era una mujer entrada en años. De joven viajó a Francia y allí se casó, aunque a los pocos años la pareja volvió a Nueva York. El marido le reconoció desde el principio que quería tener hijos, y ella que no. No quería ser madre. Pensaba que perdería su libertad. Cuando se quedó embarazada tampoco sintió nada especial. Pero en cuanto nació su hija y le vio la cara, entonces experimentó una sensación completamente nueva en su vida: se reconcilió con el mundo.

Tras beberse unos Cosmopolitan y entre amigos, José nos confesó que le gustaría viajar a España y casarse allí, en el pueblo de su tía. Scott, sin embargo, no quería. A pesar de que las bodas de parejas del mismo sexo eran legales en España, él prefería seguir como hasta entonces.

Luego hablamos sobre las adopciones por parte de parejas homosexuales. A ese respecto, conté lo ocurrido a un hombre criador de pájaros cantores llamado Olea. Olea había seguido la tradición de Santi Meabe después de la guerra. Era muy conocido por sus pájaros cantores, incluso ganó varios premios en la zona de Vizcaya. Además tenía la costumbre de poner a los pájaros nombres de bersolaris.

En una ocasión se le ocurrió cruzar a un mirlo hembra con una malviz macho. Hasta entonces nadie había hecho esto. Inmediatamente se corrió el rumor y mucha gente iba a visitar a Olea, y le preguntaban si el mirlo había puesto el huevo. Sin embargo, las cosas no iban tan bien como pensaban. Los pájaros se llevaban bien, sí, pero el mirlo hembra no ponía el huevo. Los días pasaban, llegó la primavera y ni rastro del huevo.

En una de estas, uno de los visitantes se dio cuenta de que el mirlo no era hembra sino macho. La malviz y el mirlo, los dos, eran machos.

Olea no pudo aceptar la metedura de pata. ¿Cómo podía ser que el criador de pájaros más conocido de aquellos contornos no supiera diferenciar el mirlo macho del mirlo hembra?

Entonces, se le ocurrió poner en la jaula el huevo de un cuco, porque sabía que el huevo de un cuco se cría en el nido de cualquier otro pájaro. Y así nació el pequeño cuco, en el nido del mirlo y la malviz.

Scott propuso un brindis en honor de Olea. Así lo hicimos, alzando las copas de Cosmopolitan. Vojtech Jasny grabó la escena con la cámara. Jasny tiene la costumbre de grabar su vida. El cineasta checo de ochenta y dos años está haciendo el documental de su vida, que será tan largo como ésta. Como el mapa que describe Jorge Luis Borges, el mapa perfecto. Tan perfecto que era del tamaño del mundo.

Acabó la fiesta. Cuando nos despedimos, Vojtech me dijo una frase: «Nada ocurre en vano.»

Cualquier cosa puede activar el recuerdo. Los olores, por ejemplo. El olor de un detergente. Cuando visitábamos a nuestro padre en la planta de cuidados intensivos siempre se respiraba el mismo olor, la fragancia de un detergente. Después de pasados unos cuantos años, percibí el mismo olor en los servicios de un restaurante de Bilbao. Entonces, el olor me trajo una frase a la memoria de manera instantánea: «No merece la pena volver a operar.» La había dicho el cirujano. Cuando nos dijo esa dura frase, yo estaba sintiendo el olor de ese detergente.

El 21 de setiembre debían hacerle la prueba a nuestro padre. Llevaba diecinueve días en la unidad de cuidados intensivos. Como lo visitábamos a diario, parecía como si se nos olvidara la gravedad de su estado. Pero veíamos que a los pacientes operados de corazón, tras estar gravísimos, los bajaban a planta al cabo de unos días. Nuestro padre, en cambio, ahí seguía, ni mejor ni peor. Y eso preocupaba al médico.

Mal que no mejora, empeora.

La prueba era muy sencilla: tenía que comer un yogur. Hasta entonces no había probado sólidos. Los médicos le comunicaron que, si comía el yogur y el páncreas respondía bien, lo bajarían a planta al día siguiente. Estaba muy ilusionado.

Al día siguiente, sin embargo, llamaron a casa del hospital. El páncreas había comenzado a sangrar. Había que operarle. A vida o muerte.

Nuestra madre y la tía Margarita se despidieron de él antes de entrar en el quirófano, diciéndole que todo iba a salir bien. Cuando lo pusieron en la camilla cantaron los tres la canción infantil *Ama Santa Inés*, que se cantaba a los niños para que no tuvieran pesadillas.

Ama Santa Ines,	(Madre Santa Inés,
bart egin dot amets.	anoche soñé.
Ona bada,	Si es un buen sueño,
bixon partez.	que sea para los dos.
Txarra bada,	Si es malo,
doala bere bidez.	que se vaya por su camino.)

Mi padre no volvió a despertar.

Únicamente he soñado con mi padre una vez desde que no está. Fue al poco de morir. Se murió un día de viento sur, el 28 de octubre de 1999, después de un mes en coma.

En el sueño iba al puerto, como de costumbre, a buscarlo. Como hacíamos cada vez que regresaba el *Toki-Argia*. Pero mientras avanzaba por el muelle en busca del

157

barco, algo me indicaba que ese puerto no era el de siempre, que sucedía algo raro.

Por fin encontraba a mi padre. Me estaba esperando junto al *Toki-Argia*, nervioso. Al verme se tranquilizaba.

«¿Estáis todos bien?», me preguntaba preocupado. Se le notaba inquieto porque nos había dejado solos.

«Sí, estamos bien», le respondía yo.

Suspiraba. Luego, nos abrazábamos y él subía de nuevo al barco. Era un largo y sentido abrazo.

Ahí acabó el sueño. Desde entonces no he vuelto a soñar con él. Aquel abrazo fue nuestra despedida, el abrazo que nunca nos dimos en vida.

18

EL HOMBRE DE STORNOWAY

En el MOMA de Nueva York habrá un treintena de Picassos, expuestos uno detrás de otro. El más llamativo, sin duda, es el famoso *Les demoiselles d'Avignon*. Picasso lo pintó en 1907, y se inspiró en una casa de citas de la calle Avinyó de Barcelona. Aparecen las mujeres de vida desordenada de aquel lugar. Cuando lo pintó, Picasso no tenía más de veinticinco años, y se puede apreciar cómo algunas de las caras del lienzo están pintadas por encima, lo que en un principio era un hombre luego lo convirtió en una mujer. Sin embargo, la obra tiene una fuerza extraordinaria, atrapa al espectador desde el primer golpe de vista.

Frente al cuadro hay otras dos pinturas, aparentemente iguales. Una es de Georges Braque, *Man with a Guitar*, y la otra del propio Picasso, *Ma Jolie*. Prácticamente no se puede distinguir de quién es una y de quién la otra. Son de la misma época y se diría que las dos proceden de la misma mano. Los dos artistas reflexionaban sobre las posibilidades del cubismo y los dos pintaron un cuadro igual. Cuál de los dos se inspiró en la obra del otro no lo sabemos.

Pero esos dos cuadros transmiten poco al espectador; son fríos, oscuros. Se trata de una técnica llevada hasta el límite; poco más consiguen expresar.

Esa frialdad, por el contrario, no se aprecia por ningún lado en su pintura de juventud. En las *Demoiselles*, Picasso quiso descorrer la cortina y mostrarnos lo que había detrás, algo inesperado. Y todavía hoy sorprende al espectador. Técnicamente no es un cuadro perfecto, y por eso fue criticado al principio. Incluso Matisse lo tomó como un insulto al arte moderno. Pero su fuerza es incuestionable.

Además ves el cuadro y de inmediato sabes que es de Picasso, al contrario que *Ma Jolie*. Podría ser lo mismo de Picasso que de Braque.

Quizás por eso Picasso dejó de lado el cubismo radical y se dedicó a pintar otro tipo de cuadros, más coloristas, más vivos. Creía que esa corriente estaba agotada porque después de la Primera Guerra Mundial el público no quería cosas tristes. La gente necesitaba alegría de vivir. Y así se ganó Picasso a la gente.

Recuerdo que de pequeños nosotros también teníamos una copia del *Guernica* colgada en la sala. Entonces en todas las casas del País Vasco había algún *Guernica*. Mis padres lo barnizaron y parecía que el cuadro era de verdad. Me acuerdo de que yo pensaba que el verdadero *Guernica* estaba en nuestra casa y los que veía en las casas de mis amigos no eran más que copias del nuestro.

Mantuve más de una discusión en la escuela a propósito de este tema. Al final tuve que admitir que el de nuestra casa era igual que los otros, lo único que barnizado.

Pero es cierto, también, que a veces basta un poco de

barniz para que las cosas parezcan verdaderas; un pequeño detalle, para convertir las cosas en otras.

Eso mismo hizo Picasso.

Cuando volvía del mar, a nuestro padre le gustaba poner-
nos hechos unos locos. Aunque fuera la hora de irnos a
dormir. Se sentaba a nuestro lado en la cama y nos narraba historias inventadas por él mismo. Por ejemplo, nos
contaba que cuando se iba al mar no iba a trabajar, sino
que tenía, en un pueblo llamado Stornoway, otra mujer
y otros cuatro hijos, como nosotros, y que se iba adonde ellos. Yo no podía dormirme, trataba de imaginarme
cómo sería esa otra familia de nuestro padre, qué aspecto
tendrían.

Stornoway es la capital de la isla de Lewis, al norte de
Escocia. Nuestra madre abrigaba la ilusión de ir alguna
vez a ese puerto, el puerto que nuestro padre mencionaba
una y otra vez.

Este julio, un pequeño avión de hélices nos llevó hasta allí. Está a una hora de vuelo de Edimburgo. Cuando el
avión descendió para aterrizar observé los prados verdes
desde la ventanilla, campos de turba, sin un solo árbol.

Aunque fuera julio, un tiempo adverso nos dio la
bienvenida. Viento y lluvia. Cuando escampó, nos dirigimos al puerto. Lo primero era eso. El puerto de
Stornoway está construido en un espacio natural. En
el puerto exterior atracaban los ferrys y los barcos de
la armada, dentro los barcos de pesca. En ese momento habría amarrados media docena o así. Nos llamaron la atención sus nombres, eran todos muy positivos.
Nombres como *Buena suerte*, *Pesca excelente*, y pareci-
dos. Inmediatamente me acordé del nombre del barco

de nuestro padre, *Toki-Argia*, un lugar luminoso. Aquél tampoco era un nombre muy apropiado para faenar en la zona de Rockall.

El hotel se ubicaba justo al lado del puerto, una mansión llamada Thorlee Guest House. Cuando llegamos, sin embargo, no había un alma. Tocamos el timbre y no se movió ni una mosca.

De repente, sobre una mesita en la entrada del hotel observamos que había unas tarjetas de visita. Llamé al número de teléfono que ponía en la tarjeta y me cogió el dueño. «Uribe. Estábamos esperándolos», me respondió para mi sorpresa. Me dijo que, como era domingo, se habían ido al cine pero que en el cajón de la mesita de la entrada estaban las llaves de las habitaciones. Que en el hotel no servían cenas pero que no nos preocupáramos, que lo mejor sería que fuéramos a cenar al restaurante del Hotel Royal.

En Stornoway teníamos un cometido. Seguíamos la pista de un hombre llamado Angus MacLeod. El abogado Isidor Etxebarria nos encomendó que habláramos con él. Angus nos hablaría de las andanzas de aquellos años, pues él era el caporal del puerto de Stornoway.

No contábamos más que con una nota donde ponía «Angus MacLeod, Amity House».

Al día siguiente, preguntamos al dueño del hotel si conocía a un hombre llamado así, «Angus MacLeod». Nos respondió que cualquiera podía ser Angus MacLeod en ese pueblo, que el nombre era muy común y más aún el apellido. Estaba en lo cierto, la gasolinera se llamaba MacLeod, y también la perfumería. De todas formas, cuando escuchó *Amity House* nos aconsejó que fuésemos hacia el puerto, que esa casa se hallaba por la zona y que preguntáramos allí.

Dimos con la casa siguiendo sus indicaciones. Llamamos a la puerta y salió a recibirnos una mujer. Mencionamos el nombre de Angus y nos sonrió. «Está retirado.» Luego le dijimos que Isidor Etxebarria nos había enviado hasta allá, que veníamos del País Vasco y que nuestro padre había navegado en un barco llamado *Toki-Argia*.

Angus le dijo que sí inmediatamente cuando la mujer lo telefoneó delante nuestro. «Está paseando al perro», nos informó ella, «pero a las once y media estará esperándoos en la casa de salvamento».

Para cuando llegamos, allí estaba Angus, hablando con otros socorristas en la entrada. Nada más vernos nos saludó, como si fuéramos viejos amigos. En un brinco nos llevó a su despacho situado en el primer piso. Era un hombre ya mayor pero se conservaba bien. En las escaleras había fotos de finales del siglo XIX de barcos rescatados. Allí aparecían también algunos vascos, el *Arretxigana'ko Mikel Deuna* y el *Gaztelubide*. Este último naufragó el 18 de diciembre de 1970. Rescataron a catorce personas del barco.

Angus nos contó que una vez se quedó de piedra cuando viendo la tele apareció un restaurante llamado Gaztelubide. Relacionó el lugar con el barco y pensó, «a gusto comería yo allí». Nosotros le explicamos que de hecho no era un restaurante, sino una sociedad gastronómica.

Al hilo de la comida se acordó de que en cierta ocasión un barco gallego, que tenía la radio estropeada, les pidió ayuda. Cuando se acercaron con la zódiac, los invitaron a comer, en agradecimiento. «Comimos manos de cerdo y asadurilla, estaban de morirse.» Lo que habían preparado aquellos marinos estaba tan bueno que deseaban que aquel barco sufriera de nuevo alguna urgencia, que tuviera que volver al puerto de Stornoway, para probar de nuevo aquellas maravillosas manos de cerdo.

Angus se acordaba muy bien de los nombres de los barcos vascos que veinte años atrás faenaban en Rockall, y nos los dijo de carrerilla. «Aquéllos fueron muy buenos años, con mucho movimiento.» Parecía que aquel hombre no había estado aquella mañana paseando al perro, sino en casa revisando viejos papeles, para prepararse bien la entrevista con nosotros. «Cada vez que los apresábamos todos aseguraban que no habían hecho nada, que no se habían dado cuenta de que faenaban en aguas escocesas. Los vascos eran buenos hombres, hubo momentos en que estuvieron amarradas en el puerto de Stornoway hasta veinte embarcaciones. Jamás hubo peleas con ellos. Había buen ambiente en las tabernas. Cuando venían los ingleses sí, entonces se solían montar gordas.»

Angus estaba maravillado con aquellos pescadores que venían del sur de Europa. «Sabían capturar pescado de calidad. Pero era impresionante cómo trabajaban, y de un modo tan sencillo. Utilizaban bloques de piedra para hundir las redes. No tenían nada que ver con los barcos industriales que procedían de Alemania o Dinamarca. Los vascos y los gallegos no necesitaban gran cosa para pescar. Con una red era suficiente.»

La ilusión de Angus era conocer la costa cantábrica. Eso nos confesó al menos. Su mujer debía de estar enferma, con depresión, pero si se recuperara, darían una vuelta por el País Vasco.

La situación era curiosa. El supuesto enemigo de nuestro padre, el hombre que apresaba a los buques del Cantábrico, ahora quería venir al País Vasco. Del mismo modo que nosotros habíamos ido a conocer Stornoway, él quería conocer nuestra tierra.

La noche anterior cenamos en el hotel Royal, tal y como nos recomendó el hombre de la casa de huéspedes. Rape al horno. Al acabar la cena, nuestra madre nos dio una sorpresa. Quería leernos algunos fragmentos de su diario. Desde que murió nuestro padre escribía un diario. Así le cuenta todo lo que pasa desde entonces. «No me miréis así. Es tan fácil como escribir una carta», nos dijo hace ocho años, cuando nos contó su intención. Se fue ella sola al Santuario de Arantzazu, en Oñati, y allí comenzó la escritura del diario, en el año 2000.

En la cena, nos leyó las primeras páginas, en voz alta:

Si no hacía esto no tenía paz, ando buscándote por aquí y por allá y me parece que sólo aquí te voy a encontrar. ¿Cómo buscarte si ni yo sé por dónde ando? Primero debo encontrarte a ti y luego a mí misma, porque me siento partida en dos.

Bueno, José, no tengo fuerzas para escribir más. Hasta mañana. Siempre te he querido y así seguiré hasta morir, tú fuiste el primero y, por lo que se ve, también el último.

Hasta mañana,

Antigua

Respecto a la hipotética familia de mi padre he de decir que no encontramos a nadie que se nos pareciera.

A Unai le gusta el fútbol. Juega en el equipo del pueblo en la categoría juvenil. Por la banda izquierda. Hay un juego de fútbol en la *play station*, y se pasa horas y horas entretenido. Se trata de recrear el habitual funcionamiento de un equipo de fútbol. Hay campeonatos, y una vez acaban, existe la posibilidad de hacer fichajes. En la *play station* figuran equipos de toda Europa, con todos los jugadores posibles. Cada uno debe elegir un equipo de fútbol y competir con él.

Siempre elige el Chelsea. Dice que es el que más le gusta, que él es del Chelsea. A mí eso me da pena. Que no sea seguidor de un equipo vasco. «Yo a tu edad era del Athletic», le suelo decir, haciéndole chantaje emocional. «Pero si el Athletic siempre pierde», se queja él, «yo prefiero ser del Chelsea y ganar la Champions League». Salgo cabizbajo de su habitación.

Hace poco entré en el cuarto de Unai y lo encontré jugando con la *play*. «Tengo una buena noticia para ti», me anunció con una sonrisa. «Estoy jugando con el Athletic y estamos a punto de ganar la Champions League.» Yo no cabía en mí de alegría. Al final el chaval ha elegido el camino correcto, pensé con orgullo. Pero de repente me di cuenta de que un jugador del Athletic era negro. «Oye, ¿quién es ése?», le pregunté, «no lo conozco». «Ése es Drogba, delantero del Chelsea. Lo he fichado para el Athletic», me contestó tan campante. «Y también a Torres y a Messi. Ahora el Athletic es el mejor equipo del mundo.»

Está claro, no tengo nada que hacer con este chaval.

19

MONTREAL

Distance to Destination: 785 miles
Time to destination: 1.41 hours
Local Time: 05.37 PM
Ground Speed: 520 mph
Altitude: 36.700
Outside air temperature: –67° F
Halifax, Chicoutini, Montreaux

El ir y venir de la azafata me ha despertado. Están preparando el desayuno. Renata continúa dormida. He ido al baño escaleras abajo. Los servicios están a ambos lados y en paralelo hay un gran espejo. He echado un vistazo a mi cara y he comprobado que he descansado más de lo que pensaba. Uno de los baños se ha abierto y han salido Little Miss Sunshine y su madre. La niña se me ha quedado mirando. La madre la ha cogido del brazo y se la ha llevado escaleras arriba.

Me he sentado en mi asiento. He cogido la revista de Lufthansa sin mucho entusiasmo y me he puesto a mirar los artículos en venta. Perfumes. Calvin Klein. ONE. 39 Euros/13.500 puntos. Issey Miyake. L'eau d'Issey pour homme. 57 Euros/17.000 puntos.

Cuando he llegado al apartado de los relojes, en la página 46, un anuncio me ha llamado la atención.

Skagen Watch Leather Slimline

NEW

99 Euros/30.000 miles.

Ultraslim stainless steel watch integrated top-quality leather strap. Sophisticated sleek and timeless Danish design from Skagen. 3 years warranty on quartz movement.
Mineral Crystal.
3 atm. Size: 0134.1mm.

Skagen, el cabo danés donde se unen el mar del Norte y el Báltico, es conocido por dos cosas. Una, por los relojes de diseño del mismo nombre. Otra, por la escuela de pintura que hacia 1900 se creó en esa zona. En las playas donde los dos mares se juntan se origina una luz especial y los pintores se establecieron allí para plasmarla en los cuadros. Michael Ancher, Anna Ancher y P. S. Krfyer. En un libro sobre esos pintores encontré esta historia:

Skagen era famoso por los naufragios de barcos. Se creía que sus habitantes encendían pequeños fuegos en las rocas para provocar los naufragios. Los pilotos de los cargueros pensaban que aquellas lumbres eran las luces de las casas, y se acercaban a la costa. Aquello era su ruina. Los barcos chocaban contra las rocas y se hundían.

Los habitantes de Skagen aprovechaban aquellos naufragios para conseguir materias primas.

A principios del siglo XIX, en 1803, para ser más exactos, el magistrado Ole Christian Lund abandonó el modo de vida de la capital Copenhague y se retiró a aquel rincón de Skagen. Compró tierras a orillas del mar, diez hectáreas de tierra, y plantó allí mismo árboles de crecimiento rápido. Olmos, chopos y sauces.

Una noche acogió en su casa a un hombre superviviente de un naufragio. Alguien llamó a su puerta en plena madrugada, rogando que se apiadara de aquel moribundo. El náufrago era estadounidense, capitán de un carguero que partió de Carolina del Sur. El barco llevaba algodón y arroz a través del Báltico.

Cuando mejoró, Lund llevó al hombre a ver sus árboles. Y le explicó cómo los cuidaba. En una de sus conversaciones, enseñó al capitán una muestra de algodón encontrada en la playa donde sucedió el naufragio, y le preguntó cómo se cultivaba aquella planta. El capitán le contó que en las tierras cálidas del sur de Estados Unidos de América había inmensas plantaciones de algodón, y que recolectarlo era un trabajo tan duro que lo hacían esclavos negros traídos de África.

Cuando se hubo curado, el capitán tomó de nuevo el camino hacia su país. Pero antes de despedirse le reconoció que se hallaba en deuda y le preguntó al magistrado Lund cómo podía pagarle el haberle salvado la vida.

«Uno de esos esclavos del sur no me vendría nada mal. Soy demasiado viejo para cultivar yo solo todas estas tierras», le debió de responder medio en broma, medio en serio. El capitán le sonrió y así desapareció.

El magistrado Ole Christian Lund había olvidado lo que habló con el capitán, cuando una mañana vio en el mar un balandro de tres mástiles. Echaron al agua desde el velero un batel, y cuatro hombres remando se acercaron a tierra, dos remeros a cada lado. En la proa un hombre con un ancho sombrero, en pie. Se veía que el hombre llevaba algo en el hombro.

Cuando llegó a la playa, Ole Christian Lund se dio cuenta de que aquel hombre era negro.

«Yo soy el pago por haber salvado la vida del capitán», le informó el hombre tan pronto como se saludaron. Christian no podía creerlo, el capitán americano le había mandado un esclavo. «Herewith the slave Jan from South Carolina in the United States of America», ponía en una breve nota que traía consigo.

Al primer hombre negro que vieron en aquellas tierras lo llamaron Jan Leton. Para los del lugar Leton era el mismo diablo.

Y esa creencia se extendió por el pueblo. La cosa que llevaba en el hombro era un mono, Jocko, regalo del capitán también.

El magistrado acogió bien a Leton, lo tenía por hombre libre y juntos trabajaron podando los árboles. En el pueblo, por el contrario, lo recibieron mal. Lo consideraban semejante a los cerdos. Los marineros del lugar no le hablaban. Si iba a la taberna y quería hablar con alguno, él tenía que pagar la ronda de todos.

Murió en 1827, con cincuenta y seis años. Un año antes que el magistrado. Dicen en Skagen que cuando murió no le dieron sepultura en el cementerio. El cuerpo de ese «diablo» debía estar fuera del camposanto. Y por eso lo enterraron entre las dos grandes dunas de la playa.

Eso es lo que se dice en el pueblo, pero poco de verdadero hay en esa historia. Al menos si hacemos caso a los papeles de la iglesia. En los documentos especifica claramente que enterraron a Leton de acuerdo con el rito cristiano.

Por lo tanto, el cuento del entierro entre las dunas no tiene fundamento real. Pero ¿de dónde surgió la historia de las dunas?

¿Es pura fantasía? ¿Por qué están los lugareños tan seguros de que los restos de Jan reposan en la playa?

Lo del entierro en las dunas no fue más que un error de la memoria. Una confusión inducida por el supuesto carácter diabólico de Jan, seguramente. De hecho, quien yace entre las dunas no es Jan Leton, el primer negro que llegó a Skagen. El que descansa en paz entre las dos grandes dunas es otro: el mono juguetón Jocko. Y de ahí la confusión.

En las tierras de Ole Christian Lund, hoy en día, hay un gran parque y los fines de semana se acercan hasta allí muchos visitantes a gozar de la paz de los árboles de Lund.

A la zona de pesca de Rockall, entre el peñón de Rockall y la isla St. Kilda, se le llama la playa 56. Ahí comenzaron a pescar en el año 1979 los barcos de arrastre. Cuando les pregunté cómo fueron aquellos primeros años de Rockall, los viejos patrones León Ituarte y Paco Uranga me contestaron sin rodeos, «Buenos». Me reuní con ellos en el puerto de Mutriku, en agosto. León trabajó en la misma empresa que mi padre, pero en otro barco de nombre *Toki-Alai*. Paco, mientras tanto, era de la embarcación *Legorpe*.

Al principio no iban allá más que tres o cuatro barcos. No disponían ni de cartas de pesca. Se las arreglaban con mapas de ruta, pero desconocían dónde estaban las playas, dónde las rocas y dónde el pescado. Ellos tuvieron que cartografiar los mapas. Yo mismo recuerdo cómo trazaba mi padre las cartas en casa; imaginaba los fondos marinos de aquella zona con rotuladores azules, rojos y negros.

«Tu padre era de los mejores pescando, pero diciendo mentiras era también muy bueno.» Los tres o cuatro barcos que en aquellos tiempos faenaban allá conectaban las emisoras a las ocho de la mañana y a las seis de la tarde. Se contaban cosas, pero decir cómo iba la pesca de cada uno, eso era otro cantar.

«Tu padre tenía mucha malicia. Era tan mentiroso que una vez los de los otros barcos decidimos que no le diríamos nada por radio. Cuando fuera él quien nos preguntara, nosotros nos quedaríamos en silencio. No le diríamos por dónde andábamos», me contó Paco.

Nuestro padre encendió la radio como de costumbre y cuando preguntó las coordenadas nadie le contestó. «Pero era zalamero y acto seguido le sacó a León la localización. Sabía hablar.» Ahí acabó su venganza.

«Pero, a decir verdad, era un auténtico marino. Una vez, en la costa francesa un barco fue golpeado por una gran ola que le destrozó el puente. Patrón y puente desaparecieron en el mar. Allí quedó la embarcación, sin radio, sin balizas, a la deriva. Tu padre encontró el barco y avisó a los de salvamento», reconoció Paco.

Con la historia de la radio me ha venido un recuerdo a la mente. Nuestro padre jugaba a una cosa con nosotros. Llamaba por radio y nos decía cuánto había pescado. Lo decía de modo que lo escuchara todo el mundo, pues los patrones solían escucharse unos a otros.

Mi padre utilizaba una clave. Sólo él y nosotros conocíamos esa clave. Era muy fácil. Por ejemplo, escribía las siguientes palabras en un papel:

FIDEL CASTRO

Luego, debajo de cada letra anotaba un número que se correspondía con la cantidad de cajas de pescado capturadas, de menos a más. Debajo de la F ponía 1.000 cajas, debajo de la I, 1.100, debajo de la D 1.200. Y así hasta llegar a las 2.000 cajas de la letra O.

«Padre, ¿cómo va la marea?», le preguntábamos, y si él respondía «Orio», los hermanos nos volvíamos locos de alegría. El barco venía lleno con 2.000 cajas de pescado.

En Rockall todo estaba por inventar. Fueron allá con las redes que utilizaban en Gran Sol, pero ésas no servían. Se agujereaban inmediatamente. Cortaban los hilos que les salían a las sogas y de uno en uno iban atando esos hilos al fondo de la red. Así no se agujereaba tan deprisa. Eso para pescar gallos, abadejos y rape. Para coger cabrachos, sin embargo, había que ir a zonas de coral y ahí no había remedio. Siempre se agujereaba. A un patrón se le ocurrió meter bolas dentro de la saca, así la parte de debajo de la red se levantaba y no se agujereaba. «Siempre con inventos de ese tipo. Eso sí, al llegar a puerto nos dábamos cuenta de que éste o aquél había utilizado las mismas artimañas. Allá no nos lo decían. Pero una vez en tierra, con todas las redes agujereadas, entonces nos dábamos cuenta de las astucias de los viejos patrones.»

Hoy en día no se utilizan las viejas cartas de navegación de otros tiempos. Los patrones en la actualidad utilizan CD con mapas donde figuran las playas del fondo del mar. Pero no aparecen peces por ninguna parte. «Rockall no es un lugar apropiado para que los peces desoven. Por allí pasan. Los peces tienen los mismos movimientos que los pájaros, migran como ellos. Nosotros sabíamos cada época del año, incluso cada día, qué pez iba a pasar por ahí. Marzo, por ejemplo, suele ser la época del rape. Pero ahora han cambiado las costumbres. En

el fondo no hay nada, sólo nuestros viejos aparejos.»
En los mejores años iban de Ondarroa veintiséis barcos
a Rockall, y ahora sólo dos. El *Legorpe* y el *Kirriski*, los
últimos.

El de Rockall es un mar duro, el sudoeste es lo peor.
Se trabaja desde la mañana hasta la noche. Pero hay también momentos libres. Paco contó que una vez llegó al
pueblo con la pierna rota. No fue, sin embargo, accidente de trabajo. Atracaron en Irlanda. La tripulación jugó
al fútbol contra los jóvenes irlandeses. No me dijo quién
ganó, si los pescadores o los irlandeses. No se acordaba.
Pero que vino con la pierna rota, eso sí.

«El barco que está bien colocado es el que más pesca.
El barco tiene que estar bien anclado en el mar, firme.
Por eso es importante que tenga peso. Cuanto más peso,
mayor la pesca. Si tiene la proa por encima de la popa, o
al revés, no hay pesca. Lo mismo que las personas. Se ha
de tener un paso firme. Y el barco también, si no, no hay
pesca.» Eso fue lo que sentenció León. Recordé el libro
que estaba escribiendo, y de igual manera concluí que
para escribir hacía falta seguridad. Escribir sin miedo. «Si
tienes miedo, no irás nunca a la mar.»

La forma en la que acabó la conversación me produ-
jo un escalofrío. Paco, al despedirse, recitó los nombres
de los patrones que habían navegado por aquella zona
en los primeros años, como si fuera la alineación de un
equipo de fútbol, como los soldados que han ido juntos a
una guerra. Recitaba los nombres de uno en uno. «Justo
Larrinaga, José Uribe, Agustín Aguirregomezkorta, León
Ituarte, Paco Uranga, Joaquín Urkiza, Juan Mari Zelaia,
Luciano Paz… Allí estuvimos todos.»

El anuncio de la última tregua de ETA me sorprendió en Madrid, el 24 de marzo de 2006. Un amigo me llamó al móvil. Se mostraba feliz, «ha ocurrido lo que llevábamos tanto tiempo esperando, por fin», exclamó.

Contesté al teléfono desde dentro de la sede del BBVA, el antiguo Banco de Bilbao, en Madrid. Me encontraba, más concretamente, contemplando los murales de Arteta. Los encontré envejecidos, y yo era el único en medio de la sala circular que observaba las pinturas. Los ejecutivos iban y venían, deprisa, con otros asuntos en sus cabezas.

Fue una magnífica casualidad que me hallara frente a los murales de Arteta, en un edificio construido por Bastida, el mismo día en que se proclamó el alto el fuego.

Me acordé entonces del detalle que tuvieron con Tomás Meabe el propio Arteta y los hermanos Arrue. Tomás Meabe agonizaba en Madrid, enfermo de tuberculosis y sin dinero. Arteta y los Arrue vendieron cuadros suyos para ayudar económicamente a Meabe en aquella difícil situación. Sus ideologías eran distintas pero se admiraban mutuamente.

Asimismo, me vino a la memoria aquella frase de la tía Maritxu sobre las personas que acogía la abuela Ana en tiempos de guerra. «Una cosa son las ideas y otra el corazón.» Durante mucho tiempo creí que mi tía estaba equivocada. Era una frase demasiado hermosa para ser realidad en tiempos de guerra. No era el corazón, sino el dinero el que aconsejaba que se acogieran huéspedes en casa. Pero el equivocado era yo. Aquel día en Madrid, aquella frase de la tía, al menos por un tiempo, cobró todo su sentido; el corazón estaba por encima de las ideas.

Un día lluvioso de noviembre un hombre menudo se bajó de un coche elegante de color negro en la calle Comandante Velarde, justo a la altura de la casa de Liborio Uribe. Al bajar del automóvil metió el pie en un charco y se ensució el traje. Habían levantado toda la calle para mejorar el adoquinado y con la lluvia la acera se había convertido en un lodazal. José Luis Meler había venido desde Bilbao a dar su último adiós al amigo que le salvó en la huida de la cárcel de Larrinaga.

Liborio murió de un tumor en la garganta tras una larga agonía. De noche le asaltaba el miedo a morir solo y le pedía a mi padre que durmiera junto a él en su cuarto. Cuando, al cabo de unas horas, el abuelo se quedaba dormido, mi padre salía sigilosamente y se dirigía a la habitación donde descansaba mi madre. Al fin y al cabo eran recién casados. Pero pronto el abuelo notaba su ausencia y lo llamaba sobresaltado. Mi padre se levantaba y lo tranquilizaba en su cuarto, hasta que otra vez le vencía el sueño.

En los largos días en los que Liborio guardó cama, le solía visitar mi abuela Amparo, su consuegra. Aunque Amparo era nacionalista confesa, se sentaba junto al lecho de Liborio y le leía la prensa franquista. Era una lectura lenta, como la de una niña, marcando bien las sílabas. De vez en cuando, Amparo se detenía en su lectura y le recriminaba a Liborio con una sonrisa, «pero te das cuenta de la sarta de mentiras que cuentan tus amigos. Es la última vez que te leo estas cosas». Liborio le sonreía con la mirada. Sabía que Amparo bromeaba. A la tarde siguiente le leería el periódico de nuevo.

A Liborio lo enterraron aquel día lluvioso de noviembre. Fue José Luis Meler quien se hizo cargo de los gastos del entierro.

20

BOSTON

Distance to Destination: 195 miles
Time to destination: 0.33 hours
Local Time: 06.40 PM
Ground Speed: 516 mph
Altitude: 34.000
Outside air temperature: –47° F
Boston, Fail River, Hartford

Estamos sobrevolando Boston. En la primavera de 2006 di una conferencia en Cambridge, junto con Elizabeth Macklin. Leímos poemas en euskera e inglés, y recuerdo que me pareció curioso que los alumnos universitarios cogieran apuntes a la vez que escuchaban el recital. Como estábamos en Cambrigde, Elizabeth aprovechó la ocasión para enseñarme las flores de vidrio de la Universidad de Harvard.

En 1886, George Lincoln Goodale, director del Museo Botánico de Harvard, partió hacia Dresde cargado de preocupaciones académicas. En sus clases de botánica utilizaban flores secas para el estudio de la teórica vegetal, pero de esta manera no se podía apreciar la auténtica belleza de las flores. Se valían también de réplicas en papel maché y cera, pero no cumplían el objetivo propuesto. Lincoln Goodale quería otra cosa. Algo más real.

Sabía que en Alemania había una familia de artesanos que conseguían réplicas asombrosas de invertebrados marinos. El objetivo de su viaje era hablar con la familia de vidrieros Blaschka.

Leopold y Rudolf, padre e hijo respectivamente, escucharon su propuesta. Goodale pudo ver unas flores de vidrio en la casa de los artesanos y eso alimentó sus esperanzas.

Le dijeron que no. Tenían demasiado trabajo con los invertebrados, y además el padre veía muchas complicaciones a la hora de hacer flores. Recordaba que lo había intentado antes y siempre le habían salido mal. Hizo aquellas réplicas porque quiso y luego las vendió a un museo belga, pero guardaba muy mal recuerdo de aquella compraventa. Las vendió por muy poco dinero y el museo se quemó al poco tiempo en un incendio.

Pero Goodale no desistió, se obstinó, argumentó que aquellas plantas eran imprescindibles para que la ciencia avanzara. Persuadidos por su pasión, los Blaschka le prometieron que harían media docena de réplicas, a modo de prueba.

Cuando las concluyeron, enviaron por correo las imitaciones a Estados Unidos. Por desgracia, en la aduana abrieron la caja y varias flores de vidrio se rompieron en mil pedazos. De todas maneras, las que se salvaron eran tan bellas, padre e hijo habían hecho un trabajo tan delicado, que cuando en la universidad contemplaron las flores, todos admitieron que aquél era el material ansiado; el vidrio era el mejor medio para mostrar la belleza de la flor.

Elizabeth C. Ware y su hija Mary Lee, socias honoríficas del Museo de Botánica de Harvard, quedaron fascinadas con las plantas. Totalmente deslumbradas. Y pidieron al doctor Goodale que encargara el mayor número de réplicas posible, que firmara cuanto antes el contrato con los alemanes, y que no se preocupara por el dinero, que ellas asumirían la cantidad necesaria.

Los Blaschka aceptaron la propuesta procedente de Harvard. Pero eso sí, dejaron clara una cuestión. Sólo dedicarían a las plantas la mitad de la jornada de trabajo, la otra mitad la necesitaban para atender los pedidos de otros clientes.

El tiempo de que disponían era limitado. Había que ponerse manos a la obra lo antes posible, y lo primero era seleccionar las especies.

Enviaron de Estados Unidos a Alemania las semillas de las plantas que aparecían en la lista de las seleccionadas, para que las sembraran y las utilizaran como modelo. Pero no todas. Había ciertas plantas, las exóticas y las tropicales por ejemplo, imposibles de encontrar en Alemania o en Harvard. Pero Leopold Blaschka se enteró de que en el jardín del palacio real de Pillnitz se cultivaban todas las especies imaginables. Hasta ejemplares secretos, cuya belleza solamente la familia real podía disfrutar. Lepold Blaschka, no obstante, consiguió el permiso.

En abril de 1887 se enviaron a Estados Unidos veinte muestras. Teniendo en cuenta el incidente anteriormente ocurrido en la aduana, se solicitó que las cajas fueran abiertas en la universidad, en presencia de un agente de aduanas. La solicitud fue aceptada por las autoridades.

Los Blaschka sabían cómo enviar las plantas. El modelo se ataba a una base de cartón mediante un cable, y las partes más finas se envolvían con papel tisú. Luego, se metían todas en una caja de cartón. Cuando varias cajas se hallaban preparadas, se introducían en un gran cajón de madera, y entre los embalajes se colocaba paja. Así las cajas de cartón no pegaban unas contra otras, ni tampoco contra la madera. Finalmente, el gran cajón de madera se cerraba, y lo cargaban todo dentro de un saco. El paquete alcanzaba la altura de una persona.

Cuando pasaron tres años se dieron cuenta de que el trabajo iba muy lento y decidieron que en lugar de dedicarle media jornada debían hacerlo a jornada completa. El 16 de abril de 1890 los Blaschka y Goodale firmaron un nuevo contrato. Debían acabar el trabajo en el plazo de diez años y no podían aceptar otros encargos. Las plantas tenían que ser enviadas a América dos veces al año, Harvard corría con todos los gastos.

En 1895, mientras Rudolf Blaschka se encontraba en Jamaica conociendo in situ las plantas tropicales, su padre Leopold murió. El hijo debió acabar en solitario el resto del trabajo. Lo concluyó en 1936.

Durante una época corrieron rumores diversos sobre el proceso de realización de aquellas imitaciones. He aquí lo que Leopold Blachka escribió al respecto: «Muchos piensan que empleamos algún tipo de máquina para realizar las plantas. Pero no es así, nuestro secreto es el tacto. Rudolf lo tiene más desarrollado que yo, porque el tacto es algo que se perfecciona de generación en generación. Sólo hay una forma de ser un virtuoso vidriero: tener un bisabuelo que ame el vidrio, que ese bisabuelo tenga un hijo al que le guste el vidrio, y que, del mismo modo, el hijo de éste sea un apasionado vidriero. Por último, tú mismo, como sucesor de todos ellos, debes perfeccionarte y, si, después de ser depositario de esa herencia, no triunfas, entonces el error es tuyo. Pero si no tienes antecedentes, te afanas en vano. Mi abuelo fue el más famoso fabricante de cristal de Bohemia y vivió ochenta y tres años. Mi padre, poco más o menos. Y yo también querría que no me temblaran las manos hasta esa edad.»

No había otro secreto.

Hoy en día las flores de los Blaschka se conservan en vitrinas de cristal en el Museo de Historia Natural de Harvard. Incluso mirándolas de cerca no se distingue si son de vidrio o son de verdad.

Le conté a Nerea el prodigio de las flores de Harvard. «Serán hermosas pero tienen un fallo», objetó, «no huelen».

Renata se ha despertado y se ha quitado los cascos. Se oye una ópera a través de los auriculares. Es el *Fígaro* de Mozart.

> *Parlo d'amor vegliando,*
> *parlo d'amor sognando,*
> *all'acqua, all'ombre, ai monti,*
> *ai fiori, all'erbe, ai venti,*
> *che il suon de' vani accenti'*
> *portano via con sé.*
> *E se non ho chi mi oda,*
> *parlo d'amor con me.*

Las azafatas reparten unos papeles entre los pasajeros. Renata no ha cogido. A mí me han dado dos con unas cuantas preguntas. Uno es verde, para el visado, y el otro blanco, para la aduana.

—He dormido bastante —me ha dicho Renata después de tomar el café—, falta una hora escasa para que lleguemos.

—Es verdad. A mí también se me ha hecho más corto de lo que pensaba. La conversación durante el viaje ayuda.

—Es cierto. Pero… una cosa. Respecto a lo que hemos hablado, se me ha olvidado preguntarte si conseguiste saber quién era el segundo de los *Dos amigos*.

—Te vas a reír cuando te lo cuente. Al final no tenía tanta importancia.

Entre las preguntas del papel verde me piden que ponga mi dirección durante el tiempo que voy a permanecer en Estados Unidos. «10 Columbus Circle. Apartamento 12C. Nueva York. NY 10019.» Es la casa de Karmentxu Pascual.

Karmentxu abandonó el País Vasco con catorce años. Se marchó de San Sebastián y emigró a Nueva York junto a su madre. En la dura década de los cincuenta. Allí les esperaba su tía modista, quien al parecer les confeccionaba los trajes a José Antonio Agirre y a Jesús Galíndez. Karmentxu se fue a los catorce años y todavía vive en América.

Cuando me alojo en su casa desayunamos juntos todas las mañanas. Desde la ventana se ven las calles de Nueva York. Coches y gente, de un lado para otro. Karmentxu vive sola. Los hijos ya son mayores, cada uno hace su vida.

«Aquí no te saluda nadie», me dijo una vez mientras desayunábamos. «Es normal, en una ciudad así nunca te vuelves a cruzar con la misma persona.» Es traductora de profesión. Me reconoció que cuando se retirara le gustaría volver a San Sebastián.

Y es que, aunque vive en Nueva York, no ha olvidado su patria. «Esta última temporada ando como el burro de Martina, la de Igaraburu, con los cabestros», me dice cuando se confunde.

Quiere volver a San Sebastián y dedicarse a un viejo proyecto, estudiar euskera. Sabe unas pocas palabras, entre ellas, «goxua», que repite una y otra vez. Sólo recuerda esa palabra. Eso es lo más importante para ella en la vida, la dulzura.

Al final supe por qué no conocía yo el motivo del misterioso nombre *Dos amigos*. Quedé con mis tíos Santi y Txomin, hermanos de mi padre, y salimos de pesca. Salté a su chalupa, y nos dirigimos hacia Lekeitio, a la cala de nombre Sagustán. Cuando llegamos a la altura de la roca Irabaltza, el tío paró el motor.

«Aquí está el agujero de fanecas del abuelo, él nos enseñó este camino, pero no lo andes contando luego por ahí, es un secreto de familia.»

El agujero de fanecas, el secreto mejor guardado de la familia Uribe, estaba justo encima de la zona en que Bastida y su familia grabaron el primer corto, llamado *Gente de mar*.

Los dos tíos son expertos marinos. Cuando eran jóvenes navegaron desde el Cantábrico hasta Venezuela en dos pequeñas embarcaciones de bajura. Santi era el patrón del barco *Sagustán* y Txomin del *Villa de Ondarroa*. Uno iba por delante y el otro le seguía de cerca. Cuando les pregunté cómo llegaron hasta el Caribe, Santi me respondió que lo consiguieron mirando las estrellas, y haciendo caso a lo que escribió Colón. Ellos también siguieron los alisios desde las islas Canarias hasta Cuba.

En Venezuela firmaron un contrato para pescar, pero con una condición: tenían que comprar el cebo en Venezuela. Sin embargo, en su opinión aquella carnada no era buena y por ello decidieron pescar pequeños peces y utilizarlos con ese fin.

Terminaron el trabajo y se fueron a dormir. El tío Santi se despertó al sentir una pistola en la tripa. Abrió los ojos y descubrió a un militar junto a su litera. Los apresaron y se dirigieron a puerto. No obstante, de camino a tierra, avistaron un arrastrero a lo lejos. Era italiano. Dejaron a los vascos en paz y los militares venezolanos fueron a atrapar a los italianos. De hecho, preferían capturar un pez gordo que uno pequeño.

La pesca discurrió con mucho humor. Me contaron más historias graciosas. Por ejemplo ésta que el tío Txomin le oyó a un amigo.

Bilbao. Años sesenta. El caudillo se dispone a visitar la ciudad. Han adornado todas las calles, han ordenado limpiar todos los rincones, han expulsado a todos los mendigos y maleantes. La noticia de la visita de Franco también llega a la cárcel. Y para informar de la visita han filmado una película del recibimiento, para que la vean los presos. Las autoridades pretenden dejar claro que Franco ya no tiene enemigos. Precisamente en Bilbao, en la ciudad que resistió durante un año los ataques del ejército nacional. Miles de personas han salido a la calle a vitorearlo.

Los presos asisten por obligación a la proyección de la película. Las imágenes los desmoralizan por completo. Bilbao ya no es lo que era. Todos los rincones de la ciudad están llenos de gente. Se muestra una panorámica de la plaza del ayuntamiento, que también está a reventar.

En las calles se nota la alegría; todos aclaman a Franco. De repente, aparece en primer plano un hombre subido a una farola de la plaza. El hombre se sujeta con una mano a la farola y con la otra hace la señal de la victoria, emocionado.

Los presos caen en la cuenta y se ríen a carcajadas. No se lo pueden creer. El hombre subido a la farola es uno de los prisioneros que está allí mismo junto a ellos en la sala de proyección. ¿Cómo es posible que ese preso ovacione a Franco si está en la cárcel? El propio protagonista se encarga de resolver el misterio. Aquellas eran imágenes de cuando el Athletic ganó la última copa. Y habían intercalado imágenes del recibimiento al Athletic con planos cerrados del dictador.

Mis dos tíos pusieron a prueba mi habilidad para coger fanecas. En una tirada conseguí pescar dos fanecas, pero aquello no fue fruto de mi pericia. Los tíos se rieron mucho cuando comprobaron que había sacado los peces «tocados». Las pobres fanecas en lugar de tener el anzuelo metido en la boca lo tenían en las agallas. Tiré de los aparejos hacia arriba y las capturé sin más. Era imposible no atrapar peces en aquel agujero, de tantos como había.

Me acordé de las flores de Harvard y de lo que Leopold Blaschka decía respecto a trabajar el vidrio. Que el sentido del tacto pasaba de generación en generación, que era necesario tener por delante varias generaciones que se dedicaran a lo mismo. Mis tíos también utilizaban la sabiduría que habían aprendido de sus mayores. La tradición procedía de varias generaciones anteriores. Y con el sentido del tacto de un vidriero reconocían cuándo mordía un pez el cebo y cómo era el pez. Mis cebos, en cambio, subían vacíos a la chalupa. No distinguía el preciso momento en que el pez comía la carnada.

En esto, mientras hablaban de peces, el tío Santi hizo un gesto que hacía tiempo había olvidado. Para explicar cuál era la medida de un pez, no utilizó, como es la costumbre, la distancia entre las dos manos, sino que extendió el brazo izquierdo y marcó con el dedo índice de la mano derecha sobre el brazo el tamaño del pez, como cuando se explica por dónde se debe cortar el pan.

Y al igual que aquel otro gesto, «maite-maite», que en su día hizo la tía Maritxu con las manos, me pareció que éste de mi tío Santi también estaba a punto de perderse.

Al cabo de tres horas nuestro barco entró en el puerto. Repartimos la pesca, ellos cogieron tres o cuatro unidades y el resto me lo dieron para los de casa.

Cuando ya desembarcábamos el tío Santi saltó del puente del barco con un sobre. «Hace tiempo me preguntaste de dónde venía el nombre del *Dos amigos* y no tenía ni idea, pero entre viejos papeles he encontrado esto.»

Me entregó un documento. En el papel aparecía la historia del barco *San Agustín*: «*San Agustín*, SS-3-765.» La fecha y el lugar de construcción del barco y los cambios de titularidad. Al principio no entendí de qué se trataba, pero luego me di cuenta de que aquel *San Agustín* era el mismo que el *Dos amigos* y que allí se explicaban los motivos y las razones del cambio.

Florentino Urkiaga pidió al armador Teodoro Ugalde que construyera el barco *San Agustín*. El 11 de agosto de 1921 recibió el barco, tras pagar 4.000 pesetas. El 16 de setiembre de 1921 Cecilio Aldarondo se lo compró por 3.500 pesetas. El 8 de mayo de 1925 María Teresa Arakistain heredó el barco. El 25 de junio de 1925 se lo compró Deogracias Burgos por el valor de 2.200 pesetas. El 25 de junio de 1928 Pedro Artetxe y José Mari Goiogana, compraron juntos el *San Agustín* por 2.000 pesetas. Al mes de comprarlo los nuevos propietarios le cambiaron el nombre al *San Agustín*, para llamarlo *Dos amigos*. Finalmente el 10 de marzo de 1941, Liborio Uribe compró el viejo *Dos amigos* de veinte años tras pagar 500 pesetas.

Eso era lo que decía la historia del barco. Nuestro abuelo Liborio no tenía nada que ver con el nombre *Dos amigos*. Se lo habían puesto los anteriores propietarios. No había ningún amigo desaparecido. Se acabó el misterio.

21

TOMAR TIERRA

Distance to Destination: 88 miles
Time to destination: 0.20 hours
Local Time: 06.54 PM
Ground Speed: 421 mph
Altitude: 19.500
Outside air temperature: –4° F

Anuncian por los altavoces que el avión aterrizará en breve. Se encienden los chivatos de los cinturones de seguridad. Los pasajeros regresan a sus asientos. Las azafatas recorren los pasillos y verifican que los cinturones están abrochados. El avión vira.

21 de setiembre de 2008. Sábado noche. Cuatro y media de la mañana. He tenido una pesadilla. Estaba colgado de la barandilla del balcón de la casa de mis padres, a punto

de caerme. Un estruendo me ha despertado. La persiana de nuestra habitación ha saltado en pedazos a causa de una explosión. He mirado a Nerea. Está bien. ¿Dónde está Unai? Tenía que volver a esa hora. ¿Dónde está Unai?

El avión inicia el descenso, las alas tiemblan al cruzar las nubes. Uno de los compartimentos superiores se ha abierto bruscamente. La azafata de nombre L. Thompson se aproxima tambaleándose y lo cierra. No podía avanzar. Caminaba como si estuviera en un barco. Casi se cae al cerrar la puerta.

Hemos corrido a la habitación de Unai. No ha llegado todavía. Su cama vacía junto a la ventana rota. Pedazos de cristal clavados en las sábanas. Sobre la almohada, la caja de la persiana y trozos de escayola. Nerea lo ha llamado por teléfono. Ha respondido inmediatamente. Está bien. Se ha retrasado. Eso es todo. He salido al balcón. Humo, escaparates rotos, la alarma de la guardería infantil que no para.

Continúan las turbulencias. Dentro del avión retumba. Las azafatas se han sentado en sus sitios. Se abrochan sus cinturones.

Distance to Destination: 69 miles
Time to destination: 0.15 hours
Local Time: 06.57 PM
Ground Speed: 350 mph
Altitude: 13.126
Outside air temperature: −15° F

Al otro lado del río algo arde. Allí está la comisaría de la policía autónoma. Allí han puesto la bomba. Se oyen voces asustadas. Se llaman unas a otras. Quieren saber si todos están vivos. «Kepa, Kepa», gritan. Patrullas, ambulancias. Algunos vecinos salen a la calle sobresaltados. Tienen heridas en las manos. Intentan ayudarse como pueden. Hay quien está mucho peor que nosotros.

Renata mira por la ventanilla. Se vislumbra el barrio de Queens. El avión sobrevuela la mar picada. A las olas se les aprecia la espuma, las ovejas marinas. Sopla un fuerte viento.

Me he fijado en la mujer de la casa de enfrente. Recoge los cristales de la ventana rota. A su marido lo mataron en 1980 los paramilitares. Su hija venía conmigo a clase. No teníamos más que diez años. Ésa fue la primera vez que me di cuenta de la gravedad del conflicto. Al funeral asistieron miembros de la policía secreta. Alguien los reconoció y la gente les hizo frente. A uno de los policías le robaron la pistola. Jamás la encontraron.

El avión vira hacia tierra. Parece que nos vamos a caer al mar. Renata me mira. Posa su mano sobre la mía durante un segundo.

Veo unos jóvenes que vuelven a casa disfrazados con trajes de la Edad Media. La víspera era día de fiesta, el aniversario de la fundación del pueblo. Doblan la esquina y los pierdo de vista. Hoy comienza el otoño. Pronto cumplo treinta y ocho años. He vivido toda la vida con lo mismo. Treinta y seis años de conflicto y sólo dos o tres de paz. Qué poco.

> **Distance to Destination:** 29 miles
> **Time to destination:** 0.09 hours
> **Local Time:** 07.06 PM
> **Ground Speed:** 269 mph
> **Altitude:** 5.422
> **Outside air temperature:** −42° F

Se ve la pista. El gigantesco JFK. Los jóvenes con las camisetas de jazz quieren divisar los rascacielos desde la ventanilla. Pero no se ven. La isla de Manhattan está demasiado lejos.

En el balcón hay trozos de metralla. He entrado en casa. He mirado la biblioteca. Los libros han caído al suelo. Las luces del techo están colgando. La explosión ha roto el marco de una foto de familia. Ya casi amanece. Llegarán los carpinteros. Cambiarán las persianas. Acudirán las cámaras de la televisión. Se marcharán. Nada cambiará.

El avión llega a su destino. En la pantalla se proyectan imágenes del aterrizaje. La misma cámara exterior que cuando despegó. El avión atraviesa las últimas nubes. Aparece la pista. Las líneas blancas y las brillantes luces. Cada vez más abajo, cada vez más cerca. En el momento en que toma tierra se apaga la cámara. Nieve.

22

LAS ROSAS DE AGIRRE

Resurrección María de Azkue era un hombre metódico hasta para cogerse las vacaciones. El día de San Fermín se marchaba de veraneo a Lekeitio, y tras el día de la Virgen, en setiembre, regresaba a Bilbao, a sus quehaceres.

A Azkue le gustaba caminar y a menudo paseaba, a pie y por el monte, entre Lekeitio y Ondarroa. Al pueblo entraba por el camino que baja de la ermita de La Antigua. Así visitaba la casa natal de su amigo el escritor Txomin Agirre, en la calle de Goiko Kale, más concretamente, la calle con más pendiente de todo Ondarroa.

Azkue y Agirre se conocían bien. Uno era lingüista y el otro novelista, y mantenían relación desde que, de jóvenes, estudiaron juntos en el seminario de Vitoria.

Cuentan que, aunque eran amigos íntimos, Agirre no invitaba nunca a Azkue a entrar en su casa. En cuanto lo oía silbar, Agirre salía al portal, y ahí hablaban largo y tendido, sentados en la entrada.

Quizás a Agirre le avergonzaba mostrarle a Azkue la humilde casa de sus padres, y temía que se burlara de él. Azkue era de buena familia y el padre de Agirre era carpintero. La casa estaba patas arriba y mejor no enseñarla.

En la correspondencia entre ambos se recogen anécdotas muy curiosas. Por ejemplo cuando Azkue, tan metódico y eficiente como era, le recriminaba a Agirre que escribiera poco y sin disciplina.

La respuesta de Agirre era por lo general franca y rotunda. Como era el abad del convento de Zumaia, y pasaba horas y horas escuchando las confesiones de las monjas, después de administrar penitencia le quedaban pocas ganas de escribir. Tras el sacramento, sencillamente prefería dedicarse a las rosas del jardín que sentarse frente a las cuartillas en blanco. Aunque la escritura fuera su afición preferida, el cultivo de las rosas le resultaba entonces más gratificante. En el fondo descansaba con las rosas, gracias a ellas el mundo se detenía por un momento, y espantaba de la cabeza los malos pensamientos.

La escritura, para Agirre, era una labor tan relajante y delicada como cultivar rosas.

Los vascos siempre hemos pensado que la nuestra es una tradición literaria menor. Y es verdad, si comenzamos por contar el número de libros publicados en euskera, que no son demasiados. Nuestra literatura apenas ha ejercido influencia en otras literaturas, y no hemos creado una obra capaz de convertirse en referente universal, a pesar de gozar de una rica y antiquísima tradición oral.

Entre nuestras carencias, a menudo se ha mencionado que no existe un gran poema épico, similar en calidad y extensión a los grandes *Mio Cid* o *La Chanson de Roland*. Y no se trata de una inquietud contemporánea, ya en el siglo XIX les preocupaban las mismas cuestiones. Por eso mismo, un tal Garay de Monglave difundió a los cuatro vientos que había hallado un poema épico largo. El poema era *El cantar de Altabizkar*. No reveló, claro, que el poema se lo había inventado él, en 1833, en París. Lo escribió en francés y luego pidió a un estudiante de Bayona que lo tradujera al euskera.

No tenemos poemas épicos, es cierto. En nuestra literatura no se cantan las andanzas de un héroe militar. Por el contrario, recogemos la historia de un hombre sabio, que para saber aún más vendió su alma al diablo. Así es recordado el escritor Pedro Aguerre *Axular*, en la tradición popular, en las leyendas orales. Nuestro clásico más importante.

En verdad Axular cursó los estudios de Arte y Teología en Huesca y Salamanca, a finales del siglo XVI. Pero la leyenda cuenta que estudió en la cueva del diablo en Salamanca, como ocurrió con Virgilio en Nápoles o Fausto en Cracovia.

Se cuenta que, una vez acabado el curso, todos los alumnos debían salir de la cueva el día de San Juan. Pero el diablo tenía la costumbre de quedarse con algún alumno. Se ponían todos en fila para salir de la cueva, y el diablo agarraba al último, que se quedaba con él en el infierno.

Los estudiantes estaban nerviosos ya que el día de San Juan estaba al caer. Pero cuando llegó la hora, Axular los tranquilizó y les dijo: «No temáis, yo me quedaré el último.»

Los alumnos salieron uno a uno. El demonio los aguardaba en la puerta y cada alumno repetía la misma frase: «Coge al que viene detrás.» Así, hasta que llegó el turno de Axular. El escritor también le pidió al diablo que cogiera al de detrás, y entonces el demonio le quitó la sombra. Dicen que Axular se quedó sin sombra para toda la vida.

Pero no tener sombra resultaba muy sospechoso. Quería decir que después de morir él también iría al infierno. Por eso, en otras leyendas populares, se añade que Axular recuperó finalmente su sombra, después de superar distintas pruebas.

Pero la duda no se resolvió hasta hace poco.

El cura y escritor Jean Barbier aclaró todos los detalles. A comienzos del siglo xx hubieron de restaurar el cementerio de Sara, y entonces abrieron la sepultura de Axular. Comprobaron que el cuerpo del escritor estaba intacto, que no se había corrompido. Barbier no podía contener la emoción. Sin duda alguna, al final Axular había conseguido él también recuperar su sombra y entrar en el cielo. El hecho de que el cuerpo se conservara incorrupto era considerado prueba de santidad.

La verdad es otra. El cuerpo se conservó bien porque la tierra de Sara es de arcilla. Pero eso a quién le importa hoy.

He pensado de nuevo en Agirre. En el hecho de que no se atreviera a enseñarle la casa a Azkue. Nuestra tradición literaria es como la casa de sus padres, pequeña, humilde, desordenada. Pero lo peor que podemos hacer es mantenerla oculta. Al contrario, es necesario que invitemos a entrar a quienes nos visiten y les ofrezcamos cuanto tengamos en casa, aunque lo que ofrezcamos sea poco, y les parezca pobre.

Tenemos la tradición que tenemos y con ella debemos avanzar; eso sí, tratando de atraer al mayor número de lectores. Porque la mejor forma de airear la casa es abrir las ventanas.

Eso sí, sin olvidarnos de sacar tiempo para cuidar las flores.

23

NEW YORK CITY

Los peces y los árboles se parecen. Las pérdidas delimitan nuestro tiempo.

Me quedé mucho tiempo mirando el mural de Arteta en el Museo de Bellas Artes, pensativo. Observaba una figura en segundo plano, en medio pero al fondo de la imagen. Tras el acordeonista, a la derecha caminan un mozo y dos aldeanas.

El chico va por delante. Con las manos dibuja el gesto de tocar la pandereta. La chica del medio le toca el hombro al chico. A esa muchacha la abraza por detrás otra que apoya la barbilla sobre su espalda. Yo me he detenido en la segunda muchacha, la aldeana del medio, que está encogida y mira tímidamente al espectador. Ella es, entre los personajes del cuadro, la más joven sin ninguna duda.

No sé si debo creer a mi madre, no sé si ésta no será también otra historia imaginaria, no sé si el abuelo Liborio no le contó una mentirijilla a su nuera el día que fueron al museo. El caso es que el abuelo le reveló a mi madre que aquélla era la abuela Ana, que no se lo dijera a nadie pero que quería compartir aquel secreto con ella.

De ser cierto, esa es la única imagen en la que aparece la abuela Ana de joven, hermosa y feliz. Las fotos que se conservan en casa son posteriores, se le nota el cansancio en los ojos y el pelo encanece por momentos. Pero en el mural de la casa de Bastida no tendría ni catorce años, toda la vida por delante.

Ana murió joven, con tan sólo cuarenta y cinco años. Liborio, con cincuenta y dos. El día en que murió llovió a mares y muchas embarcaciones que atracaban en la ría quedaron anegadas y se hundieron. Entre ellas, el *Dos amigos*. Cano, uno de los hermanos de la abuela Ana que vivía en Bilbao, se quedó unos días en Ondarroa después del entierro de Liborio. Mecánico de profesión, rescató el barco del fondo del mar, le quitó el motor y con la ayuda de sus sobrinos lo llevó al salón de la casa de Liborio. Allí desmontó todas las piezas, las limpió y las volvió a montar. Luego, pidió un poco de fuel.

El motor del *Dos amigos* volvió a sonar dentro de la casa de Liborio, como un viejo corazón.

«Qué imagen tan poética», me dijo Vojtech Jasny cuando pasamos por la calle Iparkale, junto a la antigua casa de mis abuelos, y le conté la historia del motor del *Dos amigos*. Había conocido a Vojtech durante aquella cena en Nueva York en casa de José Fernández de Albornoz y Scott Hightower. En 1976 le concedieron la Concha de Oro del Festival de Cine de San Sebastián y quería recorrer de nuevo los rincones que conoció de joven. Por eso había vuelto al País Vasco. Un día de junio que le apetecía una excursión por la costa vasca, le enseñé Ondarroa, entre otros pueblos. En Ondarroa le guié por el casco viejo y subimos a la ermita de La Antigua, situada en la cima de una colina muy cerca del mar. El sitio es precioso y desde allí se contempla claramente gran parte de la costa vasca, Vizcaya, Guipúzcoa y Lapurdi, las tres juntas.

Cuando alcanzamos la ermita, le conté historias y viejas creencias relacionadas con ella, las mismas que de pequeño me relataron mis abuelos. Entre ellas le referí la de los dones del Nazareno. La leyenda que asegura que si besas con la mano la figura de la ermita, se te aclaran de golpe las ideas. El Nazareno te espanta los malos espíritus de la mente y despierta tu imaginación.

Y medio en broma le confesé que yo también concurría a menudo a pedirle ayuda, sobre todo cuando empezaba un nuevo libro y estaba sin ideas. Entonces, como si tal cosa, siguiendo las viejas costumbres de otra época, los dos le dimos a la imagen un beso con la mano.

Salimos de la ermita y subimos al campanario. La vista era impresionante. Desde allí arriba se aprecian muy de cerca San Sebastián y Biarritz, e incluso el monte Larrun, si el tiempo acompaña.

Pero sólo yo admiraba el paisaje. Vojtech no quitaba ojo a unas niñas que se divertían allí abajo, en un prado. Inmediatamente cogió su vieja cámara y empezó a grabar. Las dos niñas eran del pueblo, una blanca y la otra negra. Jugaban a cazar mariposas con una sábana. Daban un salto con la sábana y se caían al suelo. Luego, miraban dentro de la tela, a ver si habían atrapado la mariposa.

Después de varios infructuosos intentos, las niñas, desilusionadas, querían irse a casa. Vojtech dejó de grabar y desde allí arriba les dio las gracias a las niñas. Pasaron debajo de nosotros. Hablaban euskera.

Me he acordado de algo que sucedió cuando era pequeño.

Franco estaba a punto de morir, no hacía muchos días que había habido fusilamientos y la policía andaba de piso en piso revisándolo todo. En nuestra casa, mi madre juntó todos los papeles, carteles, y panfletos que nos pudieran comprometer y los hizo desaparecer, como tantos y tantos otros, antes de que fuera demasiado tarde.

Mi madre, vigilante a través de la ventana, vio a tiempo el coche negro de los guardias debajo de casa. Salieron policías de todos lados, como lagartijas, muy deprisa. En un momento se hallaban a la puerta de casa, y ordenaban a voz en grito que abriéramos.

El comisario entró en la estancia con gran seguridad; debía de tener claras sospechas y se le notaba convencido de su intuición. Ordenó a los guardias que lo registraran todo de arriba abajo, todos los cajones, todos los armarios, que examinaran hasta la última rendija donde pudiera esconderse algo.

Quedaba por mirar en una habitación.

—Es el cuarto de la niña. Está enferma —les avisó mi madre.

A pesar de que mi hermana estaba en cama, no tuvieron reparos en registrar también aquella habitación.

De repente, uno de los guardias encontró algo en el cajón de la mesilla y llamó al comisario. Se acercó inmediatamente. Mi madre se asustó. Empezó a dudar. Quizá no lo había recogido todo. Se le habría olvidado algún papel. Estaba aterrorizada. Miró a su hija, con compasión.

—*Lasai, ama, kantak dira* (Tranquila, madre, son canciones) —susurró mi hermana, con voz de enferma. El comisario se puso nervioso. Preguntó qué decía la niña.

—Tiene fiebre. Quiere agua —tradujo mi madre.

Los guardias se marcharon de casa sin encontrar nada.

En aquellos años oscuros, la lengua marginada y clandestina salvó a mi madre y a mi hermana de aquel apuro. Para protegerse a sí mismas utilizaron la vieja lengua. Ahora, sin embargo, décadas después, aquellas dos niñas que habían ido a coger mariposas utilizaban la misma lengua, pero para jugar. También la hija vasca de uno de los marinos senegaleses.

Vojtech no podía creerlo. «Esta escena es maravillosa», declaró con los ojos muy abiertos. «Ni con todo el dinero del mundo habría podido rodar algo así, tan natural. La ficción es ficción pero la vida es otra cosa», se congratuló, antes de seguir grabando con la cámara.

Entonces, se acercó a mí y me dijo en inglés «*It works!*». Al principio no le entendía. Pero enseguida comprendí que se refería al Nazareno, porque su don funcionaba, o al menos había surtido efecto en él. Le había dado a la imagen un beso con la mano y al poco rato había sucedido el milagro.

Aquélla era la escena más bella grabada en toda su vida. «*It works!*»

Me pregunté cuántas cosas le había solicitado yo al Nazareno. Cuántas veces me había hecho caso y cuántas no, aunque parezca mentira. Le había pedido que me ayudara con Nerea y Unai muchas veces, demasiadas. Incluso le sugerí que asistiera a Unai para que marcara un tanto en un partido de fútbol que luego perdieron por goleada, quién sabe si por mi culpa.

Perder y ganar. Morir y nacer. La mayoría de los niños vienen al mundo con cero años. Pero los hay que nacen

con varios meses, o con tres años, o con siete. Unai nació
a mis ojos con trece años.

NACER

Naciste a mis ojos con trece años.
Así, de repente.

Fue un parto muy original,
pues naciste mientras cenábamos una pizza.
No hubo embarazos,
ni noches en vela, ni pañales.
No te llevé a la escuela tu primer día,
cogido de mi mano.
No te enseñé a jugar al escondite
ni al juego del truquemé.
No te llevé a la playa
a ver a aquel delfín enfermo.

Pero te prometo que quisiera haber hecho todo aquello,
y que todos los días lo echo en falta.
Pero naciste con trece años,
así, de repente, y con una pizza.

Sé que en realidad viniste al mundo
en una fría primavera en Dinamarca.
Y que los prados estaban helados en tu día.
Ya sé que tienes padre,
que tienes gente que te quiere a tu alrededor,
amigos, primos, tías, abuelos
y cómo no, una madre.
Y es que nadie es sólo para uno mismo,

Hay que aprender a compartir
a aquellas personas que amamos.
Y yo soy otro más, el último en aparecer a la fila.

Sólo te diré,
que soy yo el niño cuando estoy contigo,
y que aprendo mucho cuando estoy junto a ti,
como si no tuviera ni idea del juego del truquemé,
como si fuera la primera vez que veo a un delfín
        enfermo.

Sólo te diré,
que tú has nacido de verdad para mí,
aunque hayas nacido con trece años,
así, de repente, y con una pizza.

Después de aterrizar, en la pantalla han emitido de nuevo imágenes del exterior. Líneas discontinuas. El avión ha abandonado la pista y se ha dirigido a la terminal, muy lentamente. «Ha sido un placer», me ha dicho Renata y me ha tendido la mano. Ha cogido su bolsa. Las azafatas aún permanecen sentadas, aunque la gente se incorpora y enciende sus teléfonos. A Renata le ha llegado un mensaje al móvil. «Please, help me», reza el mensaje. El avión finalmente se ha detenido. «Welcome to New York City.»

Ondarroa, 14 de octubre de 2008.

BUQUES DE ALTURA DEL PUERTO DE ONDARROA

Achondo
Akilla Mendi
Ama Lur
Andra Maixa
Antonia Carnero
Aralarko Mikel Deuna
Arbelaitz
Artabide
Arranondo
Arretxinagako Mikel Deuna
Asmor
Beti Gure Javier
Cibeles
Combarro
Chemaypa
Dolores Cadrecha
Goierri
Goitia
Goizalde Argia
Goizalde Eder
Gran Boga Boga
Hermanos Solabarrieta
Idurre
Ituarte
Itxas Ondo
Itxas Oratz
Jerusalén Argia
Jerusalén Argitasuna

Landaverde
Larandagoitia
Larrauri Hermanos
Legorpe
Leizarre
Mañuko Ama
Náutica
Nuestra Señora de Bitarte
Nueva Luz de Gascuña
Nueva Luz del Cantábrico
Nuevo Tontorramendi
Ondarrutarra
Ormaza
Pattiuka
Pío Baroja
Plai Ederra
Río Itxas Ertz
San Eduardo
Saturán Zar
Sesermendi Barri
Siete Villas
Solabarrieta Anayak
Talay Mendi
Toki Alai
Toki Argia
Txanka
Txori Erreka
Urre Txindorra

AGRADECIMIENTOS

Quiero agradecer a todos los que han participado en la elaboración del libro su inestimable ayuda, a todos los que me han contado la historia de sus vidas; en especial, a la familia Bastida.

A Arkaitz Basterra y José Mari Isasi Urdangarin, por sus constantes indicaciones durante este largo vuelo trans-oceánico; al primero, por su atenta lectura, y al segundo, por la revisión de la traducción.

ÍNDICE